Le Malade imaginaire

MOL

Notes et questionnaires
par Jean-Claude LANDAT
professeur en lycée professionnel

Dossier Bibliocollège
par Isabelle de LISLE
agrégée de Lettres modernes

Sommaire

❶ L'auteur

▶ L'essentiel sur l'auteur 4
▶ Biographie 5

❷ *Le Malade imaginaire*

▶ Prologue 11
Questionnaire sur le prologue 20
▶ Acte I 23
Questionnaire sur la scène 1 26
Questionnaire sur la scène 5 42
Questionnaire sur la scène 7 53
▶ Premier intermède 57
Questionnaire sur le premier intermède 68
▶ Acte II 71
Questionnaire sur la scène 5 89
Questionnaire sur la scène 6 99
Questionnaire sur la scène 8 106
▶ Second intermède 109

ISBN : 978-2-01-706457-2

© Hachette Livre, 2019, 58 rue Jean Bleuzen, 92178 Vanves cedex, pour la présente édition.
www.hachette-education.com

▶ Acte III 113
   Questionnaire sur la scène 3 122
   Questionnaire sur la scène 10 137
   Questionnaire sur la scène 14 149
▶ Troisième intermède 151
▶ Retour sur l'œuvre 162

❸ Dossier Bibliocollège

▶ L'essentiel sur l'œuvre 168
▶ La pièce en un coup d'œil 169
▶ Le monde de Molière 170
▶ Genre : Une comédie-ballet 175
▶ Groupement de textes : *Famille, famille...* 181
▶ Lecture d'images et histoire des Arts 190
▶ Et par ailleurs… 195

L'essentiel sur l'auteur

Molière est un comédien du XVIIe siècle. Il écrit ses comédies pour la troupe qu'il dirige et s'attribue les rôles comiques importants.

Présenté en 1673, *Le Malade imaginaire* est une pièce d'adieu. Molière, très malade, y dénonce l'ignorance des médecins, critique déjà exprimée, notamment, dans *Le Médecin volant* (vers 1650) et *Le Médecin malgré lui* (1666).

JEAN-BAPTISTE POQUELIN, dit MOLIÈRE (1622-1673)

Ses contemporains :
- Les comédiens italiens de la *commedia dell'arte*.
- Corneille et Racine, auteurs de tragédies, genre noble.
- Les musiciens Lully et Charpentier, avec qui il collabore.

Les personnalités clés :
- Le prince de Conti et Monsieur, frère du roi, qui seront ses premiers protecteurs.
- Louis XIV, grand défenseur des arts, qui le soutiendra.

Biographie

Fils d'un tapissier de Louis XIV, Jean-Baptiste Poquelin (qui deviendra Molière en 1646) est très tôt fasciné par la comédie et le comédien italien Tiberio Fiorilli.

1643

Père, j'ai étudié le droit selon vos vœux...

... mais, désormais, je serai comédien !

Après avoir fondé, avec Madeleine Béjart, L'Illustre-Théâtre (1643), Molière parcourt la France.

Ce soir, représentation

Le Médecin volant

Par la troupe de L'Illustre-Théâtre

Lyon, 1655.

Si *L'Étourdi* plaît, nous le jouerons à Paris !

NOUS ALLONS JOUER DEVANT LE ROI !

1659, salle du Petit-Bourbon, où se joue avec succès *Les Précieuses ridicules*.

Quel talent !

Le roi lui-même a ri !

Encore mieux que *L'Étourdi*.

En 1664, Molière met en scène *Le Tartuffe*.

Cachez ce sein que je ne saurais voir.

Molière ose critiquer les religieux !

Que votre majesté interdise ce *Tartuffe* de monsieur Molière !

INTERDIRE MA PIÈCE DÈS SA PREMIÈRE REPRÉSENTATION !

JE ME BATTRAI !

MOLIÈRE

Le Malade imaginaire

PERSONNAGES

ARGAN : malade imaginaire.
BÉLINE : seconde femme d'Argan.
ANGÉLIQUE : fille d'Argan et amante de Cléante.
LOUISON : petite fille d'Argan, et sœur d'Angélique.
BÉRALDE : frère d'Argan.
CLÉANTE : amant d'Angélique.
MONSIEUR DIAFOIRUS : médecin.
THOMAS DIAFOIRUS : son fils et amant d'Angélique.
MONSIEUR PURGON : médecin d'Argan.
MONSIEUR FLEURANT : apothicaire.
MONSIEUR BONNEFOY : notaire.
TOINETTE : servante.

La scène est à Paris.

Prologue

Après les glorieuses fatigues et les exploits victorieux de notre
auguste monarque[1], il est bien juste que tous ceux qui se mêlent
d'écrire travaillent ou à ses louanges, ou à son divertissement.
C'est ce qu'ici l'on a voulu faire, et ce prologue est un essai des
louanges[2] de ce grand prince, qui donne entrée à la comédie du
Malade imaginaire, dont le projet a été fait pour le délasser de ses
nobles travaux.

La décoration représente un lieu champêtre fort agréable.

Notes

1. auguste monarque : roi respectable.   **2. louanges :** compliments.

ÉGLOGUE[1]

En musique et en danse

FLORE[2], PAN[3], CLIMÈNE, DAPHNÉ, TIRCIS, DORILAS,
DEUX ZÉPHYRS[4], TROUPE DE BERGÈRES ET DE BERGERS

FLORE

> *Quittez, quittez vos troupeaux,*
10 *Venez, Bergers, venez, Bergères,*
Accourez, accourez sous ces tendres ormeaux :
Je viens vous annoncer des nouvelles bien chères ;
> *Et réjouir tous ces hameaux.*
> *Quittez, quittez vos troupeaux,*
15 *Venez, Bergers, venez, Bergères,*
Accourez, accourez sous ces tendres ormeaux[5].

CLIMÈNE ET DAPHNÉ

> *Berger, laissons là tes feux[6],*
> *Voilà Flore qui nous appelle.*

TIRCIS ET DORILAS

> *Mais au moins dis-moi, cruelle,*

TIRCIS

20 *Si d'un peu d'amitié tu payeras mes vœux[7] ?*

DORILAS

Si tu seras sensible à mon ardeur[8] fidèle ?

CLIMÈNE ET DAPHNÉ

> *Voilà Flore qui nous appelle.*

TIRCIS ET DORILAS

Ce n'est qu'un mot, un mot, un seul mot que je veux.

Notes

1. **églogue :** petit poème champêtre.
2. **Flore :** déesse des fleurs.
3. **Pan :** dieu des bergers et des bois.
4. **Zéphyrs :** dieux des vents.
5. **ormeaux :** petits ormes (arbres).
6. **tes feux :** tes sentiments amoureux.
7. **tu payeras mes vœux :** tu réaliseras mes souhaits.
8. **ardeur :** passion.

TIRCIS
Languirai-je¹ toujours dans ma peine mortelle ?

DORILAS
25 *Puis-je espérer qu'un jour tu me rendras heureux ?*

CLIMÈNE ET DAPHNÉ
        Voilà Flore qui nous appelle.

ENTRÉE DE BALLET

Toute la troupe des Bergers et des Bergères va se placer en cadence autour de Flore.

CLIMÈNE
        Quelle nouvelle parmi nous,
30 *Déesse, doit jeter tant de réjouissance ?*

DAPHNÉ
        Nous brûlons d'apprendre de vous
        Cette nouvelle d'importance.

DORILAS
        D'ardeur nous en soupirons tous.

TOUS ENSEMBLE
        Nous en mourons d'impatience.

FLORE
35   *La voici : silence, silence !*
    Vos vœux sont exaucés, LOUIS est de retour,
    Il ramène en ces lieux les plaisirs et l'amour,
    Et vous voyez finir vos mortelles alarmes².
    Par ses vastes exploits son bras voit tout soumis :
40   *Il quitte les armes,*
        Faute d'ennemis.

Notes

1. **languirai-je** : souffrirai-je.   2. **alarmes** : inquiétudes.

TOUS ENSEMBLE

Ah ! quelle douce nouvelle !
Qu'elle est grande ! qu'elle est belle !
Que de plaisirs ! que de ris[1] ! que de jeux !
45   *Que de succès heureux !*
Et que le Ciel a bien rempli nos vœux !
Ah ! quelle douce nouvelle !
Qu'elle est grande, qu'elle est belle !

AUTRE ENTRÉE DE BALLET

Tous les Bergers et Bergères expriment par des danses les trans-
50 ports[2] de leur joie.

FLORE

De vos flûtes bocagères[3]
Réveillez les plus beaux sons :
LOUIS offre à vos chansons
La plus belle des matières.
55   *Après cent combats,*
Où cueille son bras,
Une ample victoire[4],
Formez entre vous
Cent combats plus doux,
60   *Pour chanter sa gloire.*

TOUS

Formons entre nous
Cent combats plus doux,
Pour chanter sa gloire.

Notes

1. **ris** : rires.
2. **transports** : élans passionnés.

3. **flûtes bocagères** : flûtes entendues dans les bois.
4. **ample victoire** : grande victoire.

FLORE

Mon jeune amant, dans ce bois
Des présents de mon empire[1]
Prépare un prix à la voix
Qui saura le mieux vous dire
Les vertus et les exploits
Du plus auguste des rois.

CLIMÈNE

Si Tircis a l'avantage,

DAPHNÉ

Si Dorilas est vainqueur,

CLIMÈNE

À le chérir je m'engage.

DAPHNÉ

Je me donne à son ardeur.

TIRCIS

Ô trop chère espérance !

DORILAS

Ô mot plein de douceur !

TOUS DEUX
Plus beau sujet, plus belle récompense
Peuvent-ils animer un cœur ?

Les violons jouent un air pour animer les deux Bergers au combat, tandis que Flore, comme juge, va se placer au pied de l'arbre, avec deux Zéphyrs, et que le reste, comme spectateurs, va occuper les deux côtés de la scène.

Note

1. des présents de mon empire : à partir des richesses de mon empire.

TIRCIS

Quand la neige fondue enfle un torrent fameux[1],
Contre l'effort soudain de ses flots écumeux
  Il n'est rien d'assez solide ;
85 *Digues, châteaux, villes, et bois,*
  Hommes et troupeaux à la fois,
  Tout cède au courant qui le guide :
  Tel, et plus fier, et plus rapide,
  Marche LOUIS dans ses exploits.

BALLET

90 Les Bergers et Bergères du côté de Tircis dansent autour de lui, sur une ritournelle[2], pour exprimer leurs applaudissements.

DORILAS

Le foudre[3] menaçant, qui perce avec fureur
L'affreuse obscurité de la nue[4] enflammée,
  Fait d'épouvante et d'horreur
95 *Trembler le plus ferme cœur :*
  Mais à la tête d'une armée
  LOUIS jette plus de terreur.

BALLET

Les Bergers et Bergères du côté de Dorilas font de même que les autres.

TIRCIS

100 *Des fabuleux exploits que la Grèce a chantés,*
Par un brillant amas[5] de belles vérités

Notes

1. (un torrent) fameux : mémorable.
2. ritournelle : refrain.
3. le foudre : la foudre.
4. la nue : le ciel, les nuages.
5. amas : accumulation.

Nous voyons la gloire effacée,
Et tous ces fameux demi-dieux[1]
Que vante l'histoire passée
105 *Ne sont point à notre pensée*
Ce que LOUIS est à nos yeux.

BALLET

Les Bergers et Bergères du côté de Tircis font encore la même chose.

DORILAS
LOUIS fait à nos temps, par ses faits inouïs,
110 *Croire tous les beaux faits que nous chante l'histoire*
Des siècles évanouis :
Mais nos neveux[2]*, dans leur gloire,*
N'auront rien qui fasse croire
Tous les beaux faits de LOUIS.

BALLET

115 Les Bergères du côté de Dorilas font encore de même, après quoi les deux partis se mêlent.

PAN, suivi de six Faunes[3]
Laissez, laissez, Bergers, ce dessein téméraire[4]*.*
Hé ! que voulez-vous faire ?
Chanter sur vos chalumeaux[5]
120 *Ce qu'Apollon*[6] *sur sa lyre*[7]*,*

Notes

1. **demi-dieux** : nés d'une union entre un Dieu (ou déesse) et un(e) mortel(le).
2. **nos neveux** : nos petits-fils, nos descendants.
3. **faunes** : divinités champêtres.
4. **dessein téméraire** : projet audacieux.
5. **chalumeaux** : petites flûtes.
6. **Apollon** : dieu de la Beauté et de la Lumière.
7. **lyre** : instrument de musique à cordes.

Avec ses chants les plus beaux,
N'entreprendrait[1] pas de dire,
C'est donner trop d'essor[2] au feu qui vous inspire,
C'est monter vers les cieux sur des ailes de cire,
125   Pour tomber dans le fond des eaux.
Pour chanter de LOUIS l'intrépide courage,
Il n'est point d'assez docte[3] voix,
Point de mots assez grands pour en tracer l'image :
Le silence est le langage
130   Qui doit louer ses exploits.
Consacrez d'autres soins à sa pleine victoire ;
Vos louanges n'ont rien qui flatte ses désirs ;
Laissez, laissez là sa gloire,
Ne songez qu'à ses plaisirs.

TOUS

135   Laissons, laissons là sa gloire,
Ne songeons qu'à ses plaisirs.

FLORE

Bien que, pour étaler ses vertus immortelles,
La force manque à vos esprits,
Ne laissez pas[4] tous deux de recevoir le prix :
140   Dans les choses grandes et belles
Il suffit d'avoir entrepris.

ENTRÉE DE BALLET

Les deux Zéphyrs dansent avec deux couronnes de fleurs à la main, qu'ils viennent donner ensuite aux deux Bergers.

Notes

1. n'entreprendrait : ne tenterait pas.
2. essor : impulsion, élan.
3. docte : savante.
4. ne laissez pas : n'oubliez pas.

CLIMÈNE ET DAPHNÉ, en leur donnant la main
> Dans les choses grandes et belles
145 > Il suffit d'avoir entrepris.

TIRCIS ET DORILAS
Ah ! que d'un doux succès notre audace est suivie !

FLORE ET PAN
Ce qu'on fait pour LOUIS, on ne le perd jamais.

LES QUATRE AMANTS
Au soin de ses plaisirs donnons-nous désormais.

FLORE ET PAN
Heureux, heureux qui peut lui consacrer sa vie !

TOUS
150 > *Joignons tous dans ces bois*
> *Nos flûtes et nos voix,*
> *Ce jour nous y convie[1] ;*
Et faisons aux échos redire mille fois :
> *« LOUIS est le plus grand des rois ;*
155 *Heureux, heureux qui peut lui consacrer sa vie ! »*

DERNIÈRE ET GRANDE ENTRÉE DE BALLET

Faunes, Bergers et Bergères, tous se mêlent, et il se fait entre eux des jeux de danse, après quoi ils se vont préparer pour la comédie.

Note

1. convie : invite.

Au fil du texte

Questions sur le prologue (pages 11 à 19)

AVEZ-VOUS BIEN LU ?

1 À qui s'adresse ce prologue* ?

2 Décrivez le décor présenté.

3 Qui sont les personnages en présence ?

4 Quels sont les thèmes* dominants ?

* prologue : première partie de la pièce de théâtre.

* thèmes : sujets développés dans le texte.

ÉTUDIER LES PAROLES DES PERSONNAGES

5 Qu'annonce Flore aux Bergères et Bergers ?

6 Que doivent faire Tircis et Dorilas ?

7 Y parviennent-ils ? Pourquoi ?

ÉTUDIER LE VOCABULAIRE

8 Relevez les termes qui glorifient LOUIS.

9 Que pouvez-vous en déduire quant aux intentions de Molière ?

10 Relevez les termes qui font référence à la musique et à la danse.

11 Comment peut-on appeler un tel spectacle ?

ÉTUDIER L'ÉCRITURE
DE L'ÉGLOGUE*

> *églogue : petit poème champêtre.

12 Justifiez l'appellation d'*églogue* en nommant les formes poétiques et en listant les principaux thèmes.

ÉTUDIER LA FONCTION DE L'EXTRAIT

13 Quel est selon vous l'intérêt de ce prologue :

a) pour Molière ?

b) pour le roi Louis XIV ?

c) pour le spectateur de l'époque ?

Louis XIV représenté avec un costume d'empereur romain.

Argan, gravure d'après Horace Vernet.

Acte I

SCÈNE 1

ARGAN

1 ARGAN, *seul dans sa chambre assis, une table devant lui, compte des parties d'apothicaire*[1] *avec des jetons; il fait, parlant à lui-même, les dialogues suivants.* Trois et deux font cinq, et cinq font dix, et dix font vingt. Trois et deux font cinq. «Plus, du vingt-qua-

5 trième, un petit clystère insinuatif, préparatif et rémollient[2], pour amollir, humecter et rafraîchir les entrailles de monsieur.» Ce qui me plaît de monsieur Fleurant, mon apothicaire, c'est que ses parties sont toujours fort civiles[3] : «les entrailles de monsieur, trente sols». Oui, mais, monsieur Fleurant, ce

10 n'est pas tout que d'être civil, il faut être aussi raisonnable, et ne pas écorcher les malades. Trente sols un lavement! Je suis votre serviteur[4], je vous l'ai déjà dit. Vous ne me les avez mis dans les autres parties qu'à vingt sols, et vingt sols en langage d'apothicaire, c'est-à-dire dix sols; les voilà, dix sols. «Plus,

15 dudit jour, un bon clystère détersif[5], composé avec catholicon[6] double, rhubarbe, miel rosat, et autres, suivant l'ordonnance, pour balayer, laver et nettoyer le bas-ventre de monsieur,

---

Notes

1. **parties d'apothicaire** : factures de pharmacien.
2. **clystère insinuatif et rémollient** : lavement introduit dans le derrière pour ramollir les selles.

3. **civiles** : polies.
4. **je suis votre serviteur** : je ne suis pas d'accord avec vous.
5. **détersif** : pour nettoyer.
6. **catholicon** : sirop.

trente sols. » Avec votre permission, dix sols. « Plus, dudit jour,
le soir, un julep hépatique, soporatif[1], et somnifère, composé
pour faire dormir monsieur, trente-cinq sols. » Je ne me plains
pas de celui-là, car il me fit bien dormir. Dix, quinze, seize
et dix-sept sols, six deniers. « Plus, du vingt-cinquième, une
bonne médecine purgative et corroborative[2], composée de
casse récente avec séné levantin[3], et autres, suivant l'ordonnance de monsieur Purgon, pour expulser et évacuer la bile
de monsieur, quatre livres. » Ah! monsieur Fleurant, c'est se
moquer; il faut vivre avec les malades. Monsieur Purgon ne
vous a pas ordonné de mettre quatre francs. Mettez, mettez
trois livres, s'il vous plaît. Vingt et trente sols. « Plus, dudit
jour, une potion anodine et astringente[4], pour faire repo-
ser monsieur, trente sols. » Bon, dix et quinze sols. « Plus, du
vingt-sixième, un clystère carminatif[5], pour chasser les vents
de monsieur, trente sols. » Dix sols, monsieur Fleurant. « Plus
le clystère de monsieur réitéré[6] le soir, comme dessus, trente
sols. » Monsieur Fleurant, dix sols. « Plus, du vingt-septième,
une bonne médecine composée pour hâter d'aller, et chasser dehors les mauvaises humeurs[7] de monsieur, trois livres. »
Bon, vingt et trente sols : je suis bien aise que vous soyez
raisonnable. « Plus, du vingt-huitième, une prise de petit-
lait clarifié, et dulcoré[8], pour adoucir, lénifier[9], tempérer, et
rafraîchir le sang de monsieur, vingt sols. » Bon, dix sols. « Plus
une potion cordiale et préservative[10], composée avec douze

Notes

1. **julep hépatique, soporatif :** potion
pour le foie qui fait transpirer.
2. **médecine purgative et corroborative :**
remède qui purge et redonne de la force.
3. **casse, séné levantin :** végétaux
exotiques utilisés dans la fabrication de
remèdes purgatifs.
4. **potion anodine et astringente :** potion
qui calme la douleur et resserre les tissus.

5. **carminatif :** qui fait expulser les gaz
intestinaux (les vents).
6. **réitéré :** renouvelé.
7. **humeurs :** substances liquides du corps
humain.
8. **dulcoré :** adouci par le sucre.
9. **lénifier :** calmer.
10. **potion cordiale et préservative :**
potion qui calme et qui joue un rôle
préventif.

grains de bézoard[1], sirops de limon[2] et grenade, et autres, suivant l'ordonnance, cinq livres. » Ah ! monsieur Fleurant, tout doux, s'il vous plaît ; si vous en usez comme cela, on ne voudra plus être malade : contentez-vous de quatre francs. Vingt et quarante sols. Trois et deux font cinq, et cinq font dix, et dix font vingt. Soixante et trois livres, quatre sols, six deniers. Si bien donc que de ce mois j'ai pris une, deux, trois, quatre, cinq, six, sept et huit médecines ; et un, deux, trois, quatre, cinq, six, sept, huit, neuf, dix, onze et douze lavements ; et l'autre mois il y avait douze médecines, et vingt lavements. Je ne m'étonne pas si je ne me porte pas si bien ce mois-ci que l'autre. Je le dirai à monsieur Purgon, afin qu'il mette ordre à cela. Allons, qu'on m'ôte tout ceci. Il n'y a personne : j'ai beau dire, on me laisse toujours seul ; il n'y a pas moyen de les arrêter ici. *(Il agite une sonnette pour faire venir ses gens.)* Ils n'entendent point, et ma sonnette ne fait pas assez de bruit. Drelin, drelin, drelin : point d'affaire. Drelin, drelin, drelin : ils sont sourds. Toinette ! Drelin, drelin, drelin : tout comme si je ne sonnais point. Chienne, coquine ! Drelin, drelin, drelin : j'enrage *(Il ne sonne plus mais il crie.)* Drelin, drelin, drelin : carogne[3], à tous les diables ! Est-il possible qu'on laisse comme cela un pauvre malade tout seul ? Drelin, drelin, drelin : voilà qui est pitoyable ! Drelin, drelin, drelin : ah, mon Dieu ! ils me laisseront ici mourir. Drelin, drelin, drelin.

Notes

1. **bézoard** : calculs (concrétions calcaires) des animaux.

2. **limon** : sorte de citron.
3. **carogne** : femme odieuse.

Au fil du texte

AVEZ-VOUS BIEN LU ?

1 Qui est sur scène ?

2 En quel lieu ?

3 Quels sont les meubles, les objets que le spectateur peut apercevoir ?

4 Comment imaginez-vous la tenue vestimentaire de l'acteur ?

5 Que fait-il ?

6 De quoi parle-t-il ?

> ***monologue :**
> un personnage
> est seul en scène
> et s'adresse à
> lui-même ; le
> monologue prend
> quelquefois
> la forme d'un
> dialogue fictif
> avec d'autres
> personnages.

ÉTUDIER LES PAROLES DES PERSONNAGES

7 À qui Argan s'adresse-t-il successivement ?

8 Ses interlocuteurs lui répondent-ils ? Pourquoi ?

9 Qu'est-ce qui fait ressembler ce monologue* à un dialogue ?

ÉTUDIER LA FONCTION DE L'EXTRAIT

10 Quelle est l'obsession d'Argan ?

11 Quel semble être le souci principal de ceux à qui il s'adresse ?

12 Expliquez la relation entre vos réponses aux deux questions précédentes et le titre de la pièce.

13 Qu'en déduisez-vous pour la suite ?

14 Que manque-t-il cependant à cette première scène pour qu'elle soit véritablement une scène d'exposition ?

La scène d'exposition

La scène d'exposition (ou les) première(s) scène(s) donne(nt) des indications sur :
- les lieux et le moment de l'action ;
- les personnages et les liens qui les unissent ;
- l'action qui se prépare.
Elle répond aux questions : OÙ ? QUAND ? QUI ? POURQUOI ? et crée une attente pour le lecteur ou le spectateur.

À VOS PLUMES !

15 Vous êtes metteur en scène* et vous rédigez pour l'acteur qui joue le rôle d'Argan un texte précisant les gestes, les mouvements qu'il doit faire ainsi que les tons*, les expressions du visage et les attitudes qu'il doit prendre lorsqu'il joue le passage de la ligne 55 à la fin de la scène.

* metteur en scène : il ou elle s'occupe de la représentation et dirige les acteurs en leur indiquant la façon de bouger et de s'exprimer.
* ton : manière de s'exprimer.

MISE EN SCÈNE

16 Jouez maintenant l'extrait étudié en suivant les indications données en réponse à la question 15.

17 Comparez votre jeu à celui d'acteurs professionnels à partir de vidéos. Faites un tableau avec les principales ressemblances et différences.

ÉTUDIER LE COMIQUE

18 Cette scène vous a-t-elle fait rire ?

19 Faites la liste des principaux procédés qui ont permis de déclencher le rire.

20 Quels sont les autres moments comiques de cette première scène ?

SCÈNE 2

Toinette, Argan

Toinette, *en entrant dans la chambre* – On y va.

Argan – Ah! chienne! ah! carogne…!

Toinette, *faisant semblant de s'être cogné la tête* – Diantre soit fait de
70   votre impatience! vous pressez si fort les personnes que je me
suis donné un grand coup de la tête contre la carne[1] d'un volet.

Argan, *en colère* – Ah! traîtresse…!

Toinette, *pour l'interrompre et l'empêcher de crier, se plaint toujours,
en disant* – Ah!

75   Argan – Il y a…

Toinette – Ah!

Argan – Il y a une heure…

Toinette – Ah!

Argan – Tu m'as laissé…

80   Toinette – Ah!

Argan – Tais-toi donc, coquine, que je te querelle.

Toinette – Çamon[2], ma foi! j'en suis d'avis, après ce que je
me suis fait.

Argan – Tu m'as fait égosiller[3], carogne.

85   Toinette – Et vous m'avez fait, vous, casser la tête : l'un vaut
bien l'autre; quitte à quitte[4], si vous voulez.

Argan – Quoi? coquine…

Toinette – Si vous querellez, je pleurerai.

Argan – Me laisser, traîtresse…

90   Toinette, *toujours pour l'interrompre* – Ah!

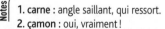

Notes
1. **carne :** angle saillant, qui ressort.
2. **çamon :** oui, vraiment !
3. **égosiller :** se faire mal à la gorge à force de crier.
4. **quitte à quitte :** nous sommes quittes.

ARGAN – Chienne! tu veux…

TOINETTE – Ah!

ARGAN – Quoi? il faudra encore que je n'aie pas le plaisir de la quereller.

95 TOINETTE – Querellez tout votre soûl¹, je le veux bien.

ARGAN – Tu m'en empêches, chienne, en m'interrompant à tous coups.

TOINETTE – Si vous avez le plaisir de quereller, il faut bien que, de mon côté, j'aie le plaisir de pleurer : chacun le sien, ce n'est
100 pas trop. Ah!

ARGAN – Allons, il faut en passer par là. Ôte-moi ceci, coquine, ôte-moi ceci. *(Argan se lève de sa chaise.)* Mon lavement d'aujourd'hui a-t-il bien opéré?

TOINETTE – Votre lavement?

105 ARGAN – Oui. Ai-je bien fait de la bile?

TOINETTE – Ma foi! je ne me mêle point de ces affaires-là : c'est à monsieur Fleurant à y mettre le nez, puisqu'il en a le profit.

ARGAN – Qu'on ait soin de me tenir un bouillon prêt pour l'autre que je dois tantôt prendre.

110 TOINETTE – Ce monsieur Fleurant-là et ce monsieur Purgon s'égayent² bien sur votre corps; ils ont en vous une bonne vache à lait; et je voudrais bien leur demander quel mal vous avez, pour vous faire tant de remèdes.

ARGAN – Taisez-vous, ignorante, ce n'est pas à vous à contrôler
115 les ordonnances³ de la médecine. Qu'on me fasse venir ma fille Angélique, j'ai à lui dire quelque chose.

TOINETTE – La voici qui vient d'elle-même : elle a deviné votre pensée.

Notes

1. **tout votre soûl** : tant que vous voudrez.
2. **s'égayent** : s'amusent.

3. **les ordonnances** : prescriptions d'un médecin.

Le Malade imaginaire, acte I, scène 2.
Toinette, faisant semblant de s'être cogné la tête, et Argan.
Gravure d'après un dessin de Moreau-le-Jeune, 1772.

SCÈNE 3

Angélique, Toinette, Argan

Argan – Approchez, Angélique ; vous venez à propos : je voulais vous parler.

Angélique – Me voilà prête à vous ouïr¹.

Argan, *courant au bassin* – Attendez. Donnez-moi mon bâton.
Je vais revenir tout à l'heure.

Toinette, *en le raillant*² – Allez vite, monsieur, allez. Monsieur
Fleurant nous donne des affaires.

SCÈNE 4

Angélique, Toinette

Angélique, *la regardant d'un œil languissant*³, *lui dit confidemment*⁴
– Toinette.

Toinette – Quoi ?

Angélique – Regarde-moi un peu.

Toinette – Hé bien ! je vous regarde.

Angélique – Toinette.

Toinette – Hé bien, quoi, Toinette ?

Angélique – Ne devines-tu point de quoi je veux parler ?

Toinette – Je m'en doute assez, de notre jeune amant ; car c'est
sur lui, depuis six jours, que roulent tous nos entretiens⁵ ; et
vous n'êtes point bien si vous n'en parlez à toute heure.

---

1. **ouïr** : entendre.
2. **en le raillant** : en se moquant de lui.
3. **languissant** : amoureux et
mélancolique.

4. **confidemment** : pour garder un secret.
5. **entretiens** : conversations.

ANGÉLIQUE – Puisque tu connais cela, que n'es-tu donc la première à m'en entretenir, et que ne m'épargnes-tu la peine de te jeter sur ce discours ?

140 TOINETTE – Vous ne m'en donnez pas le temps, et vous avez des soins là-dessus qu'il est difficile de prévenir.

ANGÉLIQUE – Je t'avoue que je ne saurais me lasser de te parler de lui, et que mon cœur profite avec chaleur de tous les moments de s'ouvrir à toi. Mais dis-moi, condamnes-tu,
145 Toinette, les sentiments que j'ai pour lui ?

TOINETTE – Je n'ai garde.

ANGÉLIQUE – Ai-je tort de m'abandonner à ces douces impressions ?

TOINETTE – Je ne dis pas cela.

150 ANGÉLIQUE – Et voudrais-tu que je fusse insensible aux tendres protestations de cette passion ardente qu'il témoigne pour moi ?

TOINETTE – À Dieu ne plaise !

ANGÉLIQUE – Dis-moi un peu, ne trouves-tu pas, comme moi,
155 quelque chose du Ciel, quelque effet du destin, dans l'aventure inopinée¹ de notre connaissance² ?

TOINETTE – Oui.

ANGÉLIQUE – Ne trouves-tu pas que cette action d'embrasser ma défense³ sans me connaître est tout à fait d'un honnête
160 homme ?

TOINETTE – Oui.

ANGÉLIQUE – Que l'on ne peut en user plus généreusement ?

TOINETTE – D'accord.

---

1. **inopinée** : imprévue.
2. **connaissance** : rencontre.

3. **embrasser ma défense** : prendre ma défense.

ANGÉLIQUE – Et qu'il fit tout cela de la meilleure grâce du
165   monde ?

TOINETTE – Oh ! oui.

ANGÉLIQUE – Ne trouves-tu pas, Toinette, qu'il est bien fait de
sa personne ?

TOINETTE – Assurément.

170   ANGÉLIQUE – Qu'il a l'air le meilleur du monde ?

TOINETTE – Sans doute.

ANGÉLIQUE – Que ses discours, comme ses actions, ont quelque
chose de noble ?

TOINETTE – Cela est sûr.

175   ANGÉLIQUE – Qu'on ne peut rien entendre de plus passionné
que tout ce qu'il me dit ?

TOINETTE – Il est vrai.

ANGÉLIQUE – Et qu'il n'est rien de plus fâcheux que la contrainte
où l'on me tient, qui bouche tout commerce[1] aux doux
180   empressements de cette mutuelle ardeur[2] que le Ciel nous
inspire ?

TOINETTE – Vous avez raison.

ANGÉLIQUE – Mais, ma pauvre Toinette, crois-tu qu'il m'aime
autant qu'il me le dit ?

185   TOINETTE – Hé ! hé ! ces choses-là, parfois, sont un peu sujettes
à caution[3]. Les grimaces d'amour ressemblent fort à la vérité ;
et j'ai vu de grands comédiens là-dessus.

ANGÉLIQUE – Ah ! Toinette, que dis-tu là ? Hélas ! de la façon
qu'il parle, serait-il bien possible qu'il ne me dît pas vrai ?

190   TOINETTE – En tous cas, vous en serez bientôt éclaircie ; et
la résolution où il vous écrivit hier qu'il était de vous faire

---

Notes

1. **qui bouche tout commerce :** qui
interdit toute fréquentation.

2. **mutuelle ardeur :** passion réciproque.
3. **sujettes à caution :** délicates.

demander en mariage est une prompte[1] voie à vous faire connaître s'il vous dit vrai, ou non : c'en sera là la bonne preuve.

195 ANGÉLIQUE – Ah! Toinette, si celui-là me trompe, je ne croirai de ma vie aucun homme.

TOINETTE – Voilà votre père qui revient.

SCÈNE 5

ARGAN, ANGÉLIQUE, TOINETTE

ARGAN *se met dans sa chaise* – Ô çà, ma fille, je vais vous dire une nouvelle, où peut-être ne vous attendez-vous pas. On vous
200 demande en mariage. Qu'est-ce que cela? vous riez. Cela est plaisant, oui, ce mot de mariage; il n'y a rien de plus drôle pour les jeunes filles : ah! nature, nature! À ce que je puis voir, ma fille, je n'ai que faire de vous demander si vous voulez bien vous marier.

205 ANGÉLIQUE – Je dois faire, mon père, tout ce qu'il vous plaira de m'ordonner.

ARGAN – Je suis bien aise d'avoir une fille si obéissante. La chose est donc conclue, et je vous ai promise[2].

ANGÉLIQUE – C'est à moi, mon père, de suivre aveuglément
210 toutes vos volontés.

ARGAN – Ma femme, votre belle-mère, avait envie que je vous fisse religieuse, et votre petite sœur Louison aussi, et de tout temps elle a été aheurtée[3] à cela.

TOINETTE, *tout bas* – La bonne bête a ses raisons.

Notes

1. **prompte** : rapide.
2. **je vous ai promise** : j'ai promis de vous donner en mariage.

3. **aheurtée** : obstinée, entêtée.

215 ARGAN – Elle ne voulait point consentir à ce mariage, mais je l'ai emporté, et ma parole est donnée.

ANGÉLIQUE – Ah! mon père, que je vous suis obligée[1] de toutes vos bontés.

TOINETTE – En vérité, je vous sais bon gré de cela[2], et voilà
220 l'action la plus sage que vous ayez faite de votre vie.

ARGAN – Je n'ai point encore vu la personne; mais on m'a dit que j'en serais content, et toi aussi.

ANGÉLIQUE – Assurément, mon père.

ARGAN – Comment l'as-tu vu?

225 ANGÉLIQUE – Puisque votre consentement m'autorise à vous ouvrir mon cœur, je ne feindrai point de[3] vous dire que le hasard nous a fait connaître il y a six jours, et que la demande qu'on vous a faite est un effet de l'inclination que, dès cette première vue, nous avons prise l'un pour l'autre.

230 ARGAN – Ils ne m'ont pas dit cela; mais j'en suis bien aise, et c'est tant mieux que les choses soient de la sorte. Ils disent que c'est un grand jeune garçon bien fait.

ANGÉLIQUE – Oui, mon père.

ARGAN – De belle taille.

235 ANGÉLIQUE – Sans doute.

ARGAN – Agréable de sa personne.

ANGÉLIQUE – Assurément.

ARGAN – De bonne physionomie.

ANGÉLIQUE – Très bonne.

240 ARGAN – Sage, et bien né.

Notes

1. **je vous suis obligée** : je vous suis reconnaissante.
2. **je vous sais bon gré** : je suis satisfaite et vous remercie.

3. **je ne feindrai point de** : je n'hésiterai pas.

ANGÉLIQUE – Tout à fait.

ARGAN – Fort honnête.

ANGÉLIQUE – Le plus honnête du monde.

ARGAN – Qui parle bien latin, et grec.

245 ANGÉLIQUE – C'est ce que je ne sais pas.

ARGAN – Et qui sera reçu médecin dans trois jours.

ANGÉLIQUE – Lui, mon père ?

ARGAN – Oui. Est-ce qu'il ne te l'a pas dit ?

ANGÉLIQUE – Non vraiment. Qui vous l'a dit à vous ?

250 ARGAN – Monsieur Purgon.

ANGÉLIQUE – Est-ce que monsieur Purgon le connaît ?

ARGAN – La belle demande ! il faut bien qu'il le connaisse, puisque c'est son neveu.

ANGÉLIQUE – Cléante, neveu de monsieur Purgon ?

255 ARGAN – Quel Cléante ? Nous parlons de celui pour qui l'on t'a demandée en mariage.

ANGÉLIQUE – Hé ! oui.

ARGAN – Hé bien, c'est le neveu de monsieur Purgon, qui est le fils de son beau-frère le médecin, monsieur Diafoirus ; et ce
260 fils s'appelle Thomas Diafoirus, et non pas Cléante ; et nous avons conclu ce mariage-là ce matin, monsieur Purgon, monsieur Fleurant et moi, et, demain, ce gendre prétendu[1] doit m'être amené par son père. Qu'est-ce ? vous voilà tout ébaubie[2] ?

265 ANGÉLIQUE – C'est, mon père, que je connais que vous avez parlé d'une personne, et que j'ai entendu une autre.

Notes

1. **gendre prétendu** : prétendant, futur gendre.

2. **tout ébaubie** : surprise au point de bégayer.

Toinette – Quoi? monsieur, vous auriez fait ce dessein burlesque[1]? Et avec tout le bien que vous avez, vous voudriez
marier votre fille avec un médecin?

270 Argan – Oui. De quoi te mêles-tu, coquine, impudente[2] que
tu es?

Toinette – Mon Dieu! tout doux : vous allez d'abord aux
invectives[3]. Est-ce que nous ne pouvons pas raisonner
ensemble sans nous emporter? Là, parlons de sang-froid.
275 Quelle est votre raison, s'il vous plaît, pour un tel mariage?

Argan – Ma raison est que, me voyant infirme et malade
comme je suis, je veux me faire un gendre et des alliés médecins[4], afin de m'appuyer de bons secours[5] contre ma maladie,
d'avoir dans ma famille les sources des remèdes qui me sont
280 nécessaires, et d'être à même des consultations et des ordonnances.

Toinette – Hé bien! voilà dire une raison, et il y a plaisir à
se répondre doucement les uns aux autres. Mais, monsieur,
mettez la main à la conscience : est-ce que vous êtes malade?

285 Argan – Comment, coquine, si je suis malade? si je suis
malade, impudente?

Toinette – Hé bien! oui, monsieur, vous êtes malade, n'ayons
point de querelle là-dessus; oui, vous êtes fort malade, j'en
demeure d'accord, et plus malade que vous ne pensez : voilà
290 qui est fait. Mais votre fille doit épouser un mari pour elle;
et, n'étant point malade, il n'est pas nécessaire de lui donner
un médecin.

ARGAN – C'est pour moi que je lui donne ce médecin ; et une fille de bon naturel doit être ravie d'épouser ce qui est utile à la santé de son père.

TOINETTE – Ma foi ! monsieur, voulez-vous qu'en amie je vous donne un conseil ?

ARGAN – Quel est-il ce conseil ?

TOINETTE – De ne point songer à ce mariage-là.

ARGAN – Et la raison ?

TOINETTE – La raison ? C'est que votre fille n'y consentira point.

ARGAN – Elle n'y consentira point ?

TOINETTE – Non.

ARGAN – Ma fille ?

TOINETTE – Votre fille. Elle vous dira qu'elle n'a que faire de monsieur Diafoirus, ni de son fils Thomas Diafoirus, ni de tous les Diafoirus du monde.

ARGAN – J'en ai affaire, moi, outre que le parti est plus avantageux qu'on ne pense. Monsieur Diafoirus n'a que ce fils-là pour tout héritier ; et, de plus, monsieur Purgon, qui n'a ni femme, ni enfants, lui donne tout son bien, en faveur de ce mariage ; et monsieur Purgon est un homme qui a huit mille bonnes livres de rente[1].

TOINETTE – Il faut qu'il ait tué bien des gens, pour s'être fait si riche.

ARGAN – Huit mille livres de rente sont quelque chose, sans compter le bien du père.

TOINETTE – Monsieur, tout cela est bel et bon ; mais j'en reviens toujours là : je vous conseille, entre nous, de lui choisir un autre mari, et elle n'est point faite pour être madame Diafoirus.

Note

1. rente : revenu.

Le Malade imaginaire de Molière

ARGAN – Et je veux, moi, que cela soit.

TOINETTE – Eh fi[1]! ne dites pas cela.

ARGAN – Comment, que je ne dise pas cela?

325 TOINETTE – Hé non!

ARGAN – Et pourquoi ne le dirai-je pas?

TOINETTE – On dira que vous ne songez pas à ce que vous dites.

ARGAN – On dira ce qu'on voudra; mais je vous dis que je veux qu'elle exécute la parole que j'ai donnée.

330 TOINETTE – Non: je suis sûre qu'elle ne le fera pas.

ARGAN – Je l'y forcerai bien.

TOINETTE – Elle ne le fera pas, vous dis-je.

ARGAN – Elle le fera, ou je la mettrai dans un couvent.

TOINETTE – Vous?

335 ARGAN – Moi.

TOINETTE – Bon.

ARGAN – Comment, «bon»?

TOINETTE – Vous ne la mettrez point dans un couvent.

ARGAN – Je ne la mettrai point dans un couvent?

340 TOINETTE – Non.

ARGAN – Non?

TOINETTE – Non.

ARGAN – Ouais! voici qui est plaisant: je ne mettrai pas ma fille dans un couvent, si je veux?

345 TOINETTE – Non, vous dis-je.

ARGAN – Qui m'en empêchera?

TOINETTE – Vous-même.

ARGAN – Moi?

Note

1. fi!: interjection exprimant le dédain, le mépris.

TOINETTE – Oui, vous n'aurez pas ce cœur-là[1].

350 ARGAN – Je l'aurai.

TOINETTE – Vous vous moquez.

ARGAN – Je ne me moque point.

TOINETTE – La tendresse paternelle vous prendra.

ARGAN – Elle ne me prendra point.

355 TOINETTE – Une petite larme ou deux, des bras jetés au cou, un «mon petit papa mignon», prononcé tendrement, sera assez pour vous toucher.

ARGAN – Tout cela ne fera rien.

TOINETTE – Oui, oui.

360 ARGAN – Je vous dis que je n'en démordrai point.

TOINETTE – Bagatelles[2].

ARGAN – Il ne faut point dire «bagatelles».

TOINETTE – Mon Dieu! je vous connais, vous êtes bon naturellement.

365 ARGAN, *avec emportement* – Je ne suis point bon, et je suis méchant quand je veux.

TOINETTE – Doucement, monsieur : vous ne songez pas que vous êtes malade.

ARGAN – Je lui commande absolument de se préparer à prendre
370 le mari que je dis.

TOINETTE – Et moi, je lui défends absolument d'en faire rien.

ARGAN – Où est-ce donc que nous sommes? et quelle audace est-ce là à une coquine de servante de parler de la sorte devant son maître?

375 TOINETTE – Quand un maître ne songe pas à ce qu'il fait, une servante bien sensée est en droit de le redresser[3].

Notes

1. cœur : courage.
2. bagatelles : choses sans importance.

3. redresser : remettre dans le droit chemin.

ARGAN *court après Toinette* – Ah! insolente, il faut que je t'assomme.

TOINETTE *se sauve de lui* – Il est de mon devoir de m'opposer aux
choses qui vous peuvent déshonorer.

ARGAN, *en colère, court après elle autour de sa chaise, son bâton à la
main* – Viens, viens, que je t'apprenne à parler.

TOINETTE, *courant, et se sauvant du côté de la chaise où n'est pas
Argan* – Je m'intéresse, comme je dois, à ne vous point laisser
faire de folie.

ARGAN – Chienne!

TOINETTE – Non, je ne consentirai jamais à ce mariage.

ARGAN – Pendarde[1]!

TOINETTE – Je ne veux point qu'elle épouse votre Thomas
Diafoirus.

ARGAN – Carogne!

TOINETTE – Et elle m'obéira plutôt qu'à vous.

ARGAN – Angélique, tu ne veux pas m'arrêter cette coquine-là?

ANGÉLIQUE – Eh! mon père, ne vous faites point malade.

ARGAN – Si tu ne me l'arrêtes, je te donnerai ma malédiction.

TOINETTE – Et moi, je la déshériterai, si elle vous obéit.

ARGAN *se jette dans sa chaise, étant las de courir après elle* – Ah! ah!
je n'en puis plus. Voilà pour me faire mourir.

Note

1. **pendarde** : qui devrait être pendue.

Au fil du texte

Questions sur l'acte I, scène 5 (pages 34 à 41)

QUE S'EST-IL PASSÉ ENTRE-TEMPS ?

1 Après le monologue d'Argan, Toinette finit par apparaître sur scène. Comment se comporte-t-elle à l'égard d'Argan ?

2 Que pense-t-elle des soins et des médecins qui entourent Argan ?

3 Pourquoi Argan doit-il s'absenter à la scène 3 ?

4 Quel est le sujet dont Angélique ne se *« lasse pas de parler »* à la scène 4 ?

AVEZ-VOUS BIEN LU ?

5 De quelle décision Argan informe-t-il sa fille ?

6 Comment Angélique et Toinette réagissent-elles ?

ÉTUDIER LE QUIPROQUO* (LIGNES 198 À 266)

> * quiproquo : malentendu entre des personnages qui prennent une personne ou une chose pour une autre.

7 À qui pense Argan pour le mariage de sa fille ?

8 À qui pense Angélique ?

9 Relevez les éléments qui vont peu à peu semer le doute dans les esprits.

10 Citez la réplique d'Angélique qui clarifie la situation et qui pourrait servir de définition au mot *quiproquo*.

11 Quel est le nœud de l'action* ainsi mis en place ?

> * nœud de l'action : moment où un conflit naît entre des personnages.

12 Citez les mots et expressions qui dressent le portrait de Cléante.

13 Comparez ce vocabulaire à celui utilisé par Angélique dans la scène 4.

À VOS PLUMES !

14 À l'aide de ces relevés, faites le portrait du mari idéal pour Angélique, puis celui du gendre idéal pour Argan.

15 Décrivez la scène qui représenterait Toinette et Argan au cours de leur dispute : position, attitude des personnages…

ÉTUDIER LE COMIQUE

La farce

La farce est une pièce comique populaire qui utilise pour faire rire des procédés tels que les déguisements, les coups de fouet, les écarts de langage, les pirouettes, bouffonneries et scènes extravagantes. Ce genre date du Moyen Âge.

16 Quels sont les procédés de la farce utilisés par Molière de la ligne 267 à la fin de la scène ?

17 Quel effet la mise en scène de cet extrait peut-elle produire chez le spectateur ?

LIRE L'IMAGE

18 Décrivez le tableau de la page suivante pour quelqu'un qui ne l'aurait pas sous les yeux.

19 Quels sont les éléments de la définition de la farce que l'on retrouve dans ce tableau ?

SCÈNE 6

BÉLINE, ANGÉLIQUE, TOINETTE, ARGAN

ARGAN – Ah! ma femme, approchez.

400 BÉLINE – Qu'avez-vous, mon pauvre mari?

ARGAN – Venez-vous-en ici à mon secours.

BÉLINE – Qu'est-ce que c'est donc qu'il y a, mon petit fils?

ARGAN – Mamie.

BÉLINE – Mon ami.

405 ARGAN – On vient de me mettre en colère!

BÉLINE – Hélas! pauvre petit mari. Comment donc, mon ami?

ARGAN – Votre coquine de Toinette est devenue plus insolente que jamais.

BÉLINE – Ne vous passionnez donc point[1].

410 ARGAN – Elle m'a fait enrager, mamie.

BÉLINE – Doucement, mon fils.

ARGAN – Elle a contrecarré[2], une heure durant, les choses que je veux faire.

BÉLINE – Là, là, tout doux.

415 ARGAN – Et a eu l'effronterie de me dire que je ne suis point malade.

BÉLINE – C'est une impertinente.

ARGAN – Vous savez, mon cœur, ce qui en est.

BÉLINE – Oui, mon cœur, elle a tort.

420 ARGAN – M'amour, cette coquine-là me fera mourir.

BÉLINE – Eh là, eh là!

---

1. ne vous passionnez donc point :
ne vous énervez pas.

2. elle a contrecarré : elle a contredit en
s'opposant.

ARGAN – Elle est cause de toute la bile[1] que je fais.

BÉLINE – Ne vous fâchez point tant.

425 ARGAN – Et il y a je ne sais combien que je vous dis de me la chasser.

BÉLINE – Mon Dieu! mon fils, il n'y a point de serviteurs et de servantes qui n'aient leurs défauts. On est contraint parfois de souffrir leurs mauvaises qualités à cause des bonnes. Celle-ci est adroite, soigneuse, diligente[2], et surtout fidèle, et vous 430 savez qu'il faut maintenant de grandes précautions pour les gens que l'on prend. Holà! Toinette.

TOINETTE – Madame.

BÉLINE – Pourquoi donc est-ce que vous mettez mon mari en colère?

435 TOINETTE, *d'un ton doucereux*[3] – Moi, madame, hélas! Je ne sais pas ce que vous voulez dire, et je ne songe qu'à complaire à monsieur en toutes choses.

ARGAN – Ah! la traîtresse!

TOINETTE – Il nous a dit qu'il voulait donner sa fille en mariage 440 au fils de monsieur Diafoirus; je lui ai répondu que je trouvais le parti avantageux pour elle; mais que je croyais qu'il ferait mieux de la mettre dans un couvent.

BÉLINE – Il n'y a pas grand mal à cela, et je trouve qu'elle a raison.

445 ARGAN – Ah! m'amour, vous la croyez. C'est une scélérate : elle m'a dit cent insolences.

BÉLINE – Hé bien! je vous crois, mon ami. Là, remettez-vous. Écoutez Toinette, si vous fâchez jamais mon mari, je vous mettrai dehors. Çà, donnez-moi son manteau fourré et des 450 oreillers, que je l'accommode dans sa chaise. Vous voilà je

---

Notes

1. **la bile** : liquide visqueux sécrété par le foie.
2. **diligente** : active, efficace.
3. **doucereux** : d'une douceur trompeuse.

ne sais comment. Enfoncez bien votre bonnet jusque sur vos oreilles : il n'y a rien qui enrhume tant que de prendre l'air par les oreilles.

ARGAN – Ah! mamie, que je vous suis obligé de tous les soins
455 que vous prenez de moi!

BÉLINE, *accommodant les oreillers qu'elle met autour d'Argan* – Levez-vous, que je mette ceci sous vous. Mettons celui-ci pour vous appuyer, et celui-là de l'autre côté. Mettons celui-ci derrière votre dos, et cet autre-là pour soutenir votre tête.

460 TOINETTE, *lui mettant rudement un oreiller sur la tête, et puis fuyant* – Et celui-ci pour vous garder du serein[1].

ARGAN *se lève en colère, et jette tous les oreillers à Toinette* – Ah! coquine, tu veux m'étouffer.

BÉLINE – Eh là, eh là! Qu'est-ce que c'est donc?

465 ARGAN, *tout essoufflé, se jette dans sa chaise* – Ah, ah, ah! je n'en puis plus.

BÉLINE – Pourquoi vous emporter ainsi? Elle a cru faire bien.

ARGAN – Vous ne connaissez pas, m'amour, la malice de la pendarde. Ah! elle m'a mis tout hors de moi; et il faudra plus de
470 huit médecines, et douze lavements, pour réparer tout ceci.

BÉLINE – Là, là, mon petit ami, apaisez-vous un peu.

ARGAN – Mamie, vous êtes toute ma consolation.

BÉLINE – Pauvre petit fils.

ARGAN – Pour tâcher de reconnaître l'amour que vous me
475 portez, je veux, mon cœur, comme je vous ai dit, faire mon testament.

BÉLINE – Ah! mon ami, ne parlons point de cela, je vous prie : je ne saurais souffrir cette pensée; et le seul mot de testament me fait tressaillir de douleur.

Note

1. **vous garder du serein** : vous protéger de l'air frais du soir.

ARGAN – Je vous avais dit de parler pour cela à votre notaire.

BÉLINE – Le voilà là-dedans[1], que j'ai amené avec moi.

ARGAN – Faites-le donc entrer, m'amour.

BÉLINE – Hélas! mon ami, quand on aime bien un mari, on n'est guère en état de songer à tout cela.

Argan agitant une sonnette.
Gravure d'après une peinture d'Alexandre-Louis Leloir.

---

1. **le voilà là-dedans** : il est dans la pièce à côté.

SCÈNE 7

Le Notaire, Béline, Argan

485   Argan – Approchez, monsieur de Bonnefoy, approchez. Prenez un siège, s'il vous plaît. Ma femme m'a dit, monsieur, que vous étiez fort honnête homme, et tout à fait de ses amis ; et je l'ai chargée de vous parler pour un testament que je veux faire.

490   Béline – Hélas ! je ne suis point capable de parler de ces choses-là.

Le Notaire – Elle m'a, monsieur, expliqué vos intentions, et le dessein où vous êtes pour elle ; et j'ai à vous dire là-dessus que vous ne sauriez rien donner à votre femme par votre tes-
495 tament.

Argan – Mais pourquoi ?

Le Notaire – La Coutume[1] y résiste. Si vous étiez en pays de droit écrit, cela se pourrait faire ; mais, à Paris, et dans les pays coutumiers, au moins dans la plupart, c'est ce qui ne se
500 peut, et la disposition serait nulle. Tout l'avantage qu'homme et femme conjoints par mariage se peuvent faire l'un à l'autre, c'est un don mutuel entre vifs[2] ; encore faut-il qu'il n'y ait enfants, soit des deux conjoints, ou de l'un d'eux, lors du décès du premier mourant.

505   Argan – Voilà une Coutume bien impertinente, qu'un mari ne puisse rien laisser à une femme dont il est aimé tendrement, et qui prend de lui tant de soin. J'aurais envie de consulter mon avocat, pour voir comment je pourrais faire.

Le Notaire – Ce n'est point à des avocats qu'il faut aller, car
510 ils sont d'ordinaire sévères là-dessus, et s'imaginent que c'est

---

Notes

1. **la Coutume** : terme juridique qui désigne le droit. Les pays coutumiers étaient, selon les cas, régis soit par des traditions orales, soit par le droit romain ou droit écrit.
2. **entre vifs** : entre personnes vivantes.

un grand crime que de disposer en fraude de la loi. Ce sont gens de difficultés[1], et qui sont ignorants des détours de la conscience. Il y a d'autres personnes à consulter, qui sont bien plus accommodantes, qui ont des expédients[2] pour passer doucement par-dessus la loi, et rendre juste ce qui n'est pas permis ; qui savent aplanir les difficultés d'une affaire, et trouver les moyens d'éluder[3] la Coutume par quelque avantage indirect. Sans cela, où en serions-nous tous les jours ? Il faut de la facilité dans les choses ; autrement nous ne ferions rien, et je ne donnerais pas un sou de notre métier.

ARGAN – Ma femme m'avait bien dit, monsieur, que vous étiez fort habile, et fort honnête homme. Comment puis-je faire, s'il vous plaît, pour lui donner mon bien, et en frustrer[4] mes enfants ?

LE NOTAIRE – Comment vous pouvez faire ? Vous pouvez choisir doucement un ami intime de votre femme, auquel vous donnerez en bonne forme par votre testament tout ce que vous pouvez, et cet ami ensuite lui rendra tout. Vous pouvez encore contracter un grand nombre d'obligations[5], non suspectes, au profit de divers créanciers[6], qui prêteront leur nom à votre femme, et entre les mains de laquelle ils mettront leur déclaration que ce qu'ils en ont fait n'a été que pour lui faire plaisir. Vous pouvez aussi, pendant que vous êtes en vie, mettre entre ses mains de l'argent comptant, ou des billets que vous pourrez avoir, payables au porteur.

BÉLINE – Mon Dieu ! il ne faut point vous tourmenter de tout cela. S'il vient faute de vous, mon fils, je ne veux plus rester au monde.

Notes

1. **gens de difficultés** : gens qui posent des problèmes.
2. **expédients** : moyens.
3. **éluder** : éviter.
4. **frustrer** : priver.

5. **obligations** : dettes contractées juridiquement.
6. **créanciers** : personnes à qui l'on doit de l'argent.

ARGAN – Mamie!

540 BÉLINE – Oui, mon ami, si je suis assez malheureuse pour vous
perdre…

ARGAN – Ma chère femme!

BÉLINE – La vie ne me sera plus de rien.

ARGAN – M'amour!

545 BÉLINE – Et je suivrai vos pas, pour vous faire connaître la tendresse que j'ai pour vous.

ARGAN – Mamie, vous me fendez le cœur. Consolez-vous, je
vous en prie.

LE NOTAIRE – Ces larmes sont hors de saison[1], et les choses n'en
550 sont point encore là.

BÉLINE – Ah! monsieur, vous ne savez pas ce que c'est qu'un
mari qu'on aime tendrement.

ARGAN – Tout le regret que j'aurai, si je meurs, mamie, c'est de
n'avoir point un enfant de vous. Monsieur Purgon m'avait dit
555 qu'il m'en ferait faire un.

LE NOTAIRE – Cela pourra venir encore.

ARGAN – Il faut faire mon testament, m'amour, de la façon que
monsieur dit; mais, par précaution, je veux vous mettre entre
les mains vingt mille francs en or, que j'ai dans le lambris[2]
560 de mon alcôve[3], et deux billets payables au porteur, qui me
sont dus, l'un par monsieur Damon, et l'autre par monsieur
Gérante.

BÉLINE – Non, non, je ne veux point de tout cela. Ah! combien
dites-vous qu'il y a dans votre alcôve?

565 ARGAN – Vingt mille francs, m'amour.

Notes

1. **hors de saison** : injustifiées.
2. **lambris** : revêtement sur les murs ou
les plafonds.

3. **alcôve** : renfoncement où se trouve
le lit.

BÉLINE – Ne me parlez point de bien, je vous prie. Ah! de combien sont les deux billets?

ARGAN – Ils sont, mamie, l'un de quatre mille francs, et l'autre de six.

570 BÉLINE – Tous les biens du monde, mon ami, ne me sont rien au prix de vous.

LE NOTAIRE – Voulez-vous que nous procédions au testament?

ARGAN – Oui, monsieur; mais nous serons mieux dans mon petit cabinet[1]. M'amour, conduisez-moi, je vous prie.

575 BÉLINE – Allons, mon pauvre petit fils.

Argan, gravure de L. Wolff d'après Geffroy.

Au fil du texte

Questions sur l'acte I, scène 7 (pages 49 à 52)

QUE S'EST-IL PASSÉ ENTRE-TEMPS ?

1 Quel personnage apparaît pour la première fois à la scène 6 ?

2 Parmi les mots suivants, choisissez les deux adjectifs qui correspondent à l'attitude de ce personnage à l'égard d'Argan : *sincère; maternelle; triste; hypocrite; désespérée; indifférente.*

3 Relevez dans la scène 6 des éléments qui justifient vos choix.

AVEZ-VOUS BIEN LU ?

4 Pourquoi Argan a-t-il fait venir un notaire ?

5 Quelles sont les trois solutions que propose ce notaire à Argan ?

6 Ce notaire, M. Bonnefoy, porte-t-il bien son nom ? Pourquoi ?

7 Quels éléments confirment ici l'hypocrisie et la cupidité de Béline ?

ÉTUDIER LE VOCABULAIRE

8 Citez tous les mots de la scène qui relèvent du vocabulaire juridique*.

* vocabulaire juridique : qui a rapport à la justice, au droit.

9 Recopiez leurs définitions à l'aide des notes de bas de page et d'un dictionnaire.

10 Quelle image ce langage donne-t-il de M. Bonnefoy ?

MISE EN SCÈNE

11 À la manière d'un metteur en scène, imaginez les jeux de scène de Béline et du notaire (autour d'Argan assis dans son fauteuil au milieu de la scène) afin de bien mettre en relief leur complicité.

ÉTUDIER LA PLACE DE L'EXTRAIT DANS L'ŒUVRE

12 Argan a déjà décidé d'imposer à sa fille un mari (scène 5). Quelle nouvelle difficulté lui prépare-t-il ici?

À VOS PLUMES !

13 Écrivez le portrait d'Argan en utilisant les traits de caractère que vous avez découverts au cours de cette scène. Ils viendront compléter ceux apparus dans les scènes antérieures.

LIRE L'IMAGE

14 Décrivez Argan tel que vous le découvrez sur le document de la page 52: tenue vestimentaire, attitude.

15 Mettez en relation cette description avec votre réponse à la question 13.

16 Quelle autre tenue vestimentaire pourrait-il porter selon vous aujourd'hui?

SCÈNE 8

ANGÉLIQUE, TOINETTE

TOINETTE – Les voilà avec un notaire, et j'ai ouï[1] parler de testament. Votre belle-mère ne s'endort point[2], et c'est sans doute quelque conspiration contre vos intérêts où elle pousse votre père.

580 ANGÉLIQUE – Qu'il dispose de son bien à sa fantaisie[3], pourvu qu'il ne dispose point de mon cœur. Tu vois, Toinette, les desseins violents que l'on fait sur lui. Ne m'abandonne point, je te prie, dans l'extrémité où je suis.

TOINETTE – Moi, vous abandonner? j'aimerais mieux mourir.
585 Votre belle-mère a beau me faire sa confidente, et me vouloir jeter dans ses intérêts, je n'ai jamais pu avoir d'inclination pour elle, et j'ai toujours été de votre parti. Laissez-moi faire : j'emploierai toute chose pour vous servir; mais pour vous servir avec plus d'effet, je veux changer de batterie[4], couvrir[5] le
590 zèle que j'ai pour vous, et feindre d'entrer dans les sentiments de votre père et de votre belle-mère.

ANGÉLIQUE – Tâche, je t'en conjure, de faire donner avis[6] à Cléante du mariage qu'on a conclu.

TOINETTE – Je n'ai personne à employer à cet office, que le
595 vieux usurier[7] Polichinelle, mon amant, et il m'en coûtera pour cela quelques paroles de douceur, que je veux bien dépenser pour vous. Pour aujourd'hui, il est trop tard; mais demain, de grand matin, je l'enverrai quérir[8], et il sera ravi de…

---

1. **ouï** : entendu.
2. **ne s'endort point** : ne reste pas inactive.
3. **à sa fantaisie** : à sa guise.
4. **changer de batterie** : agir différemment.

5. **couvrir** : dissimuler.
6. **faire donner avis** : prévenir.
7. **usurier** : personne qui prête de l'argent en prenant des intérêts très élevés.
8. **quérir** : chercher.

TOINETTE — Voilà qu'on m'appelle. Bonsoir. Reposez-vous sur moi.

Le théâtre change et représente une ville.

Gravure d'après un dessin de Moreau-le-Jeune.

Premier intermède

Polichinelle, dans la nuit, vient pour donner une sérénade[1] à sa maîtresse. Il est interrompu d'abord par des violons, contre lesquels il se met en colère, et ensuite par le Guet[2], composé de musiciens et de danseurs.

5 POLICHINELLE – *Ô amour, amour, amour, amour ! Pauvre Polichinelle, quelle diable de fantaisie t'es-tu allé mettre dans la cervelle ? À quoi t'amuses-tu, misérable insensé que tu es ? Tu quittes le soin de ton négoce[3], et tu laisses aller tes affaires à l'abandon. Tu ne manges plus, tu ne bois presque plus, tu perds le repos de la nuit ; et tout cela*
10 *pour qui ? Pour une dragonne, franche dragonne[4], une diablesse qui te rembarre, et se moque de tout ce que tu peux lui dire. Mais il n'y a point à raisonner là-dessus. Tu le veux, amour : il faut être fou comme beaucoup d'autres. Cela n'est pas le mieux du monde à un homme de mon âge ; mais qu'y faire ? On n'est pas sage quand on veut, et les*
15 *vieilles cervelles se démontent comme les jeunes.*
Je viens voir si je ne pourrai point adoucir ma tigresse par une sérénade. Il n'y a rien parfois qui soit si touchant qu'un amant qui vient chanter

---

1. sérénade : concert donné la nuit sous les fenêtres de la femme aimée.
2. guet : troupe qui assure la surveillance nocturne des villes.

3. négoce : commerce, activité.
4. dragonne : méchante femme.

ses doléances[1] aux gonds et aux verrous de la porte de sa maîtresse. Voici de quoi accompagner ma voix. Ô nuit ! ô chère nuit ! porte mes plaintes amoureuses jusque dans le lit de mon inflexible[2].

20

(Il chante ces paroles.)

TEXTE	TRADUCTION
Notte e dì v'amo e v'adoro,	Nuit et jour, je vous aime [et vous adore,
Cerco un sì per mio ristoro ;	Je cherche un oui pour [mon réconfort ;
25 *Ma se voi dite di no,*	Mais si vous dites non,
Bell' ingrata, io morirò.	Belle ingrate, je mourrai.
Fra la speranza	À travers l'espérance
S'afflige il cuore,	S'afflige[3] le cœur,
In lontananza	Car dans l'absence
30 *Consuma l'hore ;*	Il consume les heures ;
Si dolce inganno	La si douce illusion
Che mi figura	Qui me représente
Breve l'affanno	La fin proche de mon [tourment
Ahi ! troppo dura !	Hélas ! dure trop.
35 *Cosi per tropp'amar [languisco e muoro.*	Aussi, pour trop aimer, je [languis[4] et je meurs.
Notte e dì v'amo e v'adoro,	Nuit et jour, je vous aime [et vous adore,

---

Notes

1. **doléances** : plaintes, réclamations.
2. **inflexible** : qui ne cède pas, intransigeant.
3. **s'afflige** : se faire de la peine.
4. **je languis** : je souffre.

Cerco un sì per mio ristoro;	Je cherche un oui pour [mon réconfort;
Ma se voi dite di no,	Mais si vous dites non,
Bell'ingrata, io morirò.	Belle ingrate, je mourrai.
40 *Se non dormite,*	Si vous ne dormez pas,
Almen pensate	Pensez au moins
Alle ferite	Aux blessures
Ch'al cuor mi fate;	Qu'au cœur vous me faites;
Deh! almen fingete,	Ah! feignez[1] au moins,
45 *Per mio conforto,*	Pour mon réconfort,
Se m'uccidete,	Si vous me tuez,
D'haver il torto :	D'en avoir remords :
Vostra pietà mi scemerà [il martoro.	Votre pitié me diminuera [mon martyre.
Notte e dì v'amo v'adoro,	Nuit et jour, je vous aime [et vous adore,
50 *Cerco un sì per mio ristoro;*	Je cherche un oui pour [mon réconfort;
Ma se voi dite di no,	Mais si vous dites non,
Bell'ingrata, io morirò.	Belle ingrate, je mourrai.

Une vieille se présente à la fenêtre, et répond au signor Polichinelle en se moquant de lui.

55 *Zerbinetti, ch' ogn' hor con [finti sguardi,*	Freluquets[2] qui à toute heure [avec des regards trompeurs,

---

Notes

1. feignez (du verbe feindre) : faites
semblant.

2. freluquet : jeune homme frivole et
prétentieux.

Mentiti desiri,	Désirs menteurs,
Fallaci sospiri,	Soupirs fallacieux[1],
Accenti bugiardi,	Accents perfides[2],
Di fede vi pregiate,	Vous vantez de votre foi[3],
60 *Ah ! che non m'ingannate,*	Ah! que vous ne m'abusez pas,
Che già so per prova,	Car déjà je sais par expérience,
Ch'in voi non si trova	Qu'en vous on ne trouve
Constanza ne fede :	Constance[4] ni foi :
Oh! quanto è pazza colei	Oh! comme elle est folle
[che vi crede!]	[celle qui vous croit!

65 *Quei sguardi languidi*	Les regards languissants
Non m'innamorano,	Ne me troublent plus,
Quei sospir fervidi	Ces soupirs brûlants
Più non m'infiammano,	Ne m'enflamment plus,
Vel giuro a fè.	Je vous le jure sur ma foi.
70 *Zerbino misero,*	Malheureux galant,
Del vostro piangere	De toutes vos plaintes
Il mio cor libero	Mon cœur libéré
Vuol sempre ridere,	Veut toujours se rire,
Credet' a me :	Croyez-moi :
75 *Che già so per prova*	Déjà je sais par expérience
Ch'in voi non si trova	Qu'en vous on ne trouve
Constanza ne fede :	Contance ni foi :
Oh! quanto è pazza colei	Oh! comme elle est folle
[che vi crede!]	[celle qui vous croit!

Notes

1. **fallacieux** : faux, trompeurs.
2. **perfides** : traîtres.

3. **vous vanter de votre foi** : vous affirmer par serment.
4. **constance** : fidélité.

(Violons.)

80 POLICHINELLE – *Quelle impertinente harmonie vient interrompre ici ma voix ?*

(Violons.)

POLICHINELLE – *Paix là, taisez-vous, violons. Laissez-moi me plaindre à mon aise des cruautés de mon inexorable[1].*

85 (Violons.)

POLICHINELLE – *Taisez-vous, vous dis-je. C'est moi qui veux chanter.*

(Violons.)

POLICHINELLE – *Paix donc !*

(Violons.)

90 POLICHINELLE – *Ouais !*

(Violons.)

POLICHINELLE – *Ahi !*

(Violons.)

POLICHINELLE – *Est-ce pour rire ?*

95 (Violons.)

POLICHINELLE – *Ah ! que de bruit !*

(Violons.)

POLICHINELLE – *Le diable vous emporte !*

(Violons.)

100 POLICHINELLE – *J'enrage.*

(Violons.)

POLICHINELLE – *Vous ne vous tairez pas ? Ah, Dieu soit loué !*

(Violons.)

POLICHINELLE – *Encore ?*

105 (Violons.)

Note

1. **mon inexorable :** mon inflexible.

POLICHINELLE – *Peste des violons !*

(Violons.)

POLICHINELLE – La sotte musique que voilà !

(Violons.)

110   POLICHINELLE, chantant pour se moquer des violons – *La, la, la, la, la, la.*

(Violons.)

POLICHINELLE – *La, la, la, la, la, la.*

(Violons.)

115   POLICHINELLE – *La, la, la, la, la, la, la, la.*

(Violons.)

POLICHINELLE – *La, la, la, la, la.*

(Violons.)

POLICHINELLE – *La, la, la, la, la, la.*

120   (Violons.)

POLICHINELLE, avec un luth[1], dont il ne joue que des lèvres et de la langue, en disant : *plin, tan, plan, etc. – Par ma foi ! cela me divertit. Poursuivez, messieurs les Violons, vous me ferez plaisir. Allons donc, continuez. Je vous en prie. Voilà le moyen de les faire*
125   *taire. La musique est accoutumée à ne point faire ce qu'on veut. Oh ! sus, à nous ! Avant que de chanter, il faut que je prélude[2] un peu et joue quelque pièce, afin de mieux prendre mon ton. Plan, plan, plan. Plin, plin, plin. Voilà un temps fâcheux pour mettre un luth d'accord. Plin, plin, plin. Plin tan plan. Plin, plin. Les cordes ne tiennent*
130   *point par ce temps-là. Plin, plan. J'entends du bruit. Mettons mon luth contre la porte.*

Notes

1. **luth** : instrument de musique à cordes.   2. **que je prélude** : que je chante, que je joue quelques notes pour me mettre dans le ton.

ARCHERS, passant dans la rue, accourent au bruit qu'ils entendent et demandent en chantant. − *Qui va là, qui va là ?*

POLICHINELLE, tout bas − *Qui diable est cela ? Est-ce que c'est la* 135 *mode de parler en musique ?*

ARCHERS − *Qui va là, qui va là, qui va là ?*

POLICHINELLE, épouvanté − *Moi, moi, moi.*

ARCHERS − *Qui va là, qui va là ? vous dis-je.*

POLICHINELLE − *Moi, moi, vous dis-je.*

140 ARCHERS − *Et qui toi ? et qui toi ?*

POLICHINELLE − *Moi, moi, moi, moi, moi, moi.*

ARCHERS − *Dis ton nom, dis ton nom, sans davantage attendre.*

POLICHINELLE, feignant d'être bien hardi − *Mon nom est : « Va te faire pendre. »*

145 ARCHERS − *Ici, camarades, ici.*

Saisissons l'insolent qui nous répond ainsi.

ENTRÉE DE BALLET

Tout le Guet vient, qui cherche Polichinelle dans la nuit.

(Violons et danseurs.)

POLICHINELLE − *Qui va là ?*

150 (Violons et danseurs.)

POLICHINELLE − *Qui sont les coquins que j'entends ?*

(Violons et danseurs.)

POLICHINELLE − *Euh !*

(Violons et danseurs.)

155 POLICHINELLE − *Holà, mes laquais, mes gens !*

(Violons et danseurs.)

POLICHINELLE − *Par la mort !*

(Violons et danseurs.)

POLICHINELLE – *Par le sang !*

160   (Violons et danseurs.)

POLICHINELLE – *J'en jetterai par terre.*

(Violons et danseurs.)

POLICHINELLE – *Champagne, Poitevin, Picard, Basque, Breton[1] !*

(Violons et danseurs.)

165   POLICHINELLE – *Donnez-moi mon mousqueton[2].*

(Violons et danseurs.)

POLICHINELLE fait semblant de tirer un coup de pistolet – *Pouh !*

(Ils tombent tous et s'enfuient.)

POLICHINELLE, en se moquant – *Ah, ah, ah, ah, comme je leur ai*
170   *donné l'épouvante ! Voilà de sottes gens d'avoir peur de moi, qui ai*
peur des autres. Ma foi ! il n'est que de jouer d'adresse en ce monde.
Si je n'avais tranché du[3] grand seigneur, et n'avais fait le brave, ils
n'auraient pas manqué de me happer[4] ! Ah, ah, ah.

(Les archers se rapprochent, et, ayant entendu ce qu'il disait,
175   ils le saisissent au collet[5].)

ARCHERS – *Nous le tenons. À nous, camarades, à nous :*

Dépêchez, de la lumière.

BALLET

Tout le Guet vient avec des lanternes.

ARCHERS – *Ah, traître ! ah, fripon ! c'est donc vous ?*
180   *Faquin, maraud, pendard, impudent, téméraire,*

Notes

1. **Champagne, Poitevin, Picard, Basque,**
Breton : laquais désignés par le nom de
leur province d'origine.
2. **mousqueton** : fusil à canon court.

3. **trancher de** : se donner l'apparence de.
4. **me happer** : arrêter, attraper
brusquement.
5. **collet** : le col.

Insolent, effronté, coquin, filou, voleur,
Vous osez nous faire peur ?

POLICHINELLE – *Messieurs, c'est que j'étais ivre.*

ARCHERS – *Non, non, non, point de raison ;*

185 *Il faut vous apprendre à vivre.*
En prison, vite, en prison.

POLICHINELLE – *Messieurs, je ne suis point voleur.*

ARCHERS – *En prison.*

POLICHINELLE – *Je suis un bourgeois de la ville.*

190 ARCHERS – *En prison.*

POLICHINELLE – *Qu'ai-je fait ?*

ARCHERS – *En prison, vite, en prison.*

POLICHINELLE – *Messieurs, laissez-moi aller.*

ARCHERS – *Non.*

195 POLICHINELLE – *Je vous en prie.*

ARCHERS – *Non.*

POLICHINELLE – *Eh !*

ARCHERS – *Non.*

POLICHINELLE – *De grâce.*

200 ARCHERS – *Non, non.*

POLICHINELLE – *Messieurs.*

ARCHERS – *Non, non, non.*

POLICHINELLE – *S'il vous plaît.*

ARCHERS – *Non, non.*

205 POLICHINELLE – *Par charité.*

ARCHERS – *Non, non.*

POLICHINELLE – *Au nom du Ciel !*

ARCHERS – *Non, non.*

POLICHINELLE – *Miséricorde !*

210 ARCHERS – *Non, non, non, point de raison ;*

    Il faut vous apprendre à vivre.

    En prison, vite, en prison.

POLICHINELLE – *Eh ! n'est-il rien, messieurs, qui soit capable d'attendrir vos âmes ?*

215 ARCHERS – *Il est aisé de nous toucher,*

    Et nous sommes humains plus qu'on ne saurait croire ;

    Donnez-nous doucement six pistoles[1] *pour boire,*

    Nous allons vous lâcher.

POLICHINELLE – *Hélas ! messieurs, je vous assure que je n'ai pas un*
220 *sou sur moi.*

ARCHERS – *Au défaut de six pistoles,*

    Choisissez donc sans façon

    D'avoir trente croquignoles[2]*,*

    Ou douze coups de bâton.

225 POLICHINELLE – *Si c'est une nécessité, et qu'il faille en passer par là,*
je choisis les croquignoles.

ARCHERS – *Allons, préparez-vous,*

    Et comptez bien les coups.

BALLET

Les Archers danseurs lui donnent des croquignoles en cadence.

230 POLICHINELLE – *Un et deux, trois et quatre, cinq et six, sept et huit,*
neuf et dix, onze et douze, et treize, et quatorze, et quinze.

ARCHERS – *Ah, ah, vous en voulez passer :*

    Allons, c'est à recommencer.

Notes

1. pistole : monnaie italienne ou espagnole.

2. croquignoles : coups sur la tête.

POLICHINELLE – *Ah ! messieurs, ma pauvre tête n'en peut plus, et vous*
235   *venez de me la rendre comme une pomme cuite. J'aime encore mieux*
       les coups de bâton que de recommencer.

ARCHERS – *Soit ! puisque le bâton est pour vous plus charmant, vous*
       aurez contentement.

BALLET

Les Archers danseurs lui donnent des coups de bâton en ca-
240   dence.

POLICHINELLE – *Un, deux, trois, quatre, cinq, six, ah, ah, ah, je n'y*
       saurais plus résister. Tenez, messieurs, voilà six pistoles que je vous
       donne.

ARCHERS – *Ah, l'honnête homme ! Ah ! l'âme noble et belle !*
245   *Adieu, seigneur, adieu, seigneur Polichinelle.*

POLICHINELLE – *Messieurs, je vous donne le bonsoir.*

ARCHERS – *Adieu, seigneur, adieu, seigneur Polichinelle.*

POLICHINELLE – *Votre serviteur.*

ARCHERS – *Adieu, seigneur, adieu, seigneur Polichinelle.*

250   POLICHINELLE – *Très humble[1] valet.*

ARCHERS – *Adieu, seigneur, adieu, seigneur Polichinelle.*

POLICHINELLE – *Jusqu'au revoir.*

BALLET

Ils dansent tous, en réjouissance de l'argent qu'ils ont reçu.

(Le théâtre change et représente la même chambre.)

Note

1. **humble** : effacé, modeste, très respectueux.

Au fil du texte

Questions sur le premier intermède (pages 57 à 67)

QUE S'EST-IL PASSÉ ENTRE-TEMPS ?

1 Citez la réplique qui fait allusion à Polichinelle dans la scène 8.

2 Qui est Polichinelle et quels sont ses liens avec Toinette ?

AVEZ-VOUS BIEN LU ?

3 Qui est le personnage principal dans cet intermède ?

4 Que fait-il ?

5 Dans quel but ?

6 Qui l'interrompt ?

7 Comment se libère-t-il des archers ?

ÉTUDIER LE VOCABULAIRE

8 Dans la première partie de cet intermède (du début à la ligne 78), relevez les champs lexicaux* de l'amour et de la souffrance.

> *champ lexical : ensemble des termes qui renvoient à un même sujet.

9 Par quels mots Polichinelle désigne-t-il celle qu'il aime ?

10 Qu'en déduisez-vous ?

ÉTUDIER LE COMIQUE

11 Retrouvez dans la deuxième partie (ligne 79 à la fin) les éléments comiques relevant de la farce.

ÉTUDIER LA PLACE ET LA FONCTION
DE L'EXTRAIT DANS L'ŒUVRE

12 Quels sont les liens que vous pouvez établir entre cet intermède et l'intrigue* de la pièce ?

*intrigue : action de la pièce qui se met en place à partir des relations entre les personnages.

Tableau représentant les farceurs français et italiens du XVIIe siècle.
Tout à gauche : Molière.

Théâtre de la République. — Représentation nationale du 6 avril 1848.

Gravure montrant la représentation nationale du *Malade imaginaire* le 6 avril 1848 au théâtre de la République.

Acte II

SCÈNE 1

TOINETTE, CLÉANTE

1 TOINETTE – Que demandez-vous, monsieur ?

CLÉANTE – Ce que je demande ?

TOINETTE – Ah, ah, c'est vous ? Quelle surprise ? Que venez-vous faire céans[1] ?

5 CLÉANTE – Savoir ma destinée, parler à l'aimable Angélique, consulter les sentiments de son cœur, et lui demander ses résolutions sur ce mariage fatal[2] dont on m'a averti.

TOINETTE – Oui, mais on ne parle pas comme cela de but en blanc[3] à Angélique : il y faut des mystères[4], et l'on vous a
10 dit l'étroite garde où elle est retenue, qu'on ne la laisse ni sortir, ni parler à personne, et que ce ne fut que la curiosité d'une vieille tante qui nous fit accorder la liberté d'aller à cette comédie qui donna lieu à la naissance de votre passion ; et nous nous sommes bien gardées de parler de cette aventure.

15 CLÉANTE – Aussi ne viens-je pas ici comme Cléante et sous l'apparence de son amant, mais comme ami de son maître de musique, dont j'ai obtenu le pouvoir de dire qu'il m'envoie à sa place.

Notes

1. **céans** : ici.
2. **fatal** : funeste, mortel.

3. **de but en blanc** : brusquement.
4. **des mystères** : de la discrétion.

Toinette — Voici son père. Retirez-vous un peu, et me laissez lui dire que vous êtes là.

SCÈNE 2

Argan, Toinette, Cléante

Argan — Monsieur Purgon m'a dit de me promener le matin dans ma chambre, douze allées, et douze venues ; mais j'ai oublié à lui demander si c'est en long, ou en large.

Toinette — Monsieur, voilà un...

Argan — Parle bas, pendarde : tu viens m'ébranler tout le cerveau, et tu ne songes pas qu'il ne faut point parler si haut à des malades.

Toinette — Je voulais vous dire, monsieur...

Argan — Parle bas, te dis-je.

(Elle fait semblant de parler.)

Argan — Eh ?

Toinette — Je vous dis que...

(Elle fait semblant de parler.)

Argan — Qu'est-ce que tu dis ?

Toinette, *haut* — Je dis que voilà un homme qui veut parler à vous.

Argan — Qu'il vienne.

(Toinette fait signe à Cléante d'avancer.)

Cléante — Monsieur...

Toinette, *raillant* — Ne parlez pas si haut, de peur d'ébranler le cerveau de monsieur.

Cléante — Monsieur, je suis ravi de vous trouver debout et de voir que vous vous portez mieux.

TOINETTE, *feignant d'être en colère* – Comment «qu'il se porte
mieux»? Cela est faux : monsieur se porte toujours mal.

CLÉANTE – J'ai ouï dire que monsieur était mieux, et je lui
trouve bon visage.

TOINETTE – Que voulez-vous dire avec votre bon visage?
Monsieur l'a fort mauvais, et ce sont des impertinents[1] qui
vous ont dit qu'il était mieux. Il ne s'est jamais si mal porté.

ARGAN – Elle a raison.

TOINETTE – Il marche, dort, mange, et boit tout comme les
autres; mais cela n'empêche pas qu'il ne soit fort malade.

ARGAN – Cela est vrai.

CLÉANTE – Monsieur, j'en suis au désespoir. Je viens de la part
du maître à chanter de mademoiselle votre fille. Il s'est vu
obligé d'aller à la campagne pour quelques jours; et comme
son ami intime, il m'envoie à sa place, pour lui continuer ses
leçons, de peur qu'en les interrompant elle ne vînt à oublier
ce qu'elle sait déjà.

ARGAN – Fort bien. Appelez Angélique.

TOINETTE – Je crois, monsieur, qu'il sera mieux de mener monsieur à sa chambre.

ARGAN – Non; faites-la venir.

TOINETTE – Il ne pourra lui donner leçon comme il faut, s'ils
ne sont en particulier[2].

ARGAN – Si fait, si fait.

Notes

1. **impertinents** : qui agissent contre le bon sens.

2. **être en particulier** : être seul.

TOINETTE – Monsieur, cela ne fera que vous étourdir, et il ne faut rien pour vous émouvoir en l'état où vous êtes, et vous ébranler le cerveau.

ARGAN – Point, point : j'aime la musique, et je serai bien aise de… Ah! la voici. Allez-vous-en voir, vous, si ma femme est habillée.

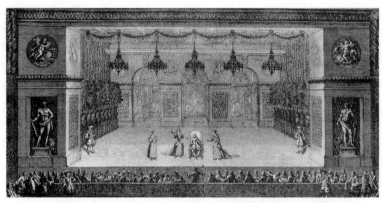

Le Malade imaginaire joué dans le jardin de Versailles.
Gravure de Le Pautre, 1676.

SCÈNE 3

ARGAN, ANGÉLIQUE, CLÉANTE

ARGAN – Venez, ma fille : votre maître de musique est allé aux
75   champs, et voilà une personne qu'il envoie à sa place pour
vous montrer[1].

ANGÉLIQUE – Ah, ciel!

ARGAN – Qu'est-ce? d'où vient cette surprise?

ANGÉLIQUE – C'est...

80 ARGAN – Quoi? qui vous émeut de la sorte?

ANGÉLIQUE – C'est, mon père, une aventure surprenante qui se
rencontre ici.

ARGAN – Comment?

ANGÉLIQUE – J'ai songé cette nuit que j'étais dans le plus grand
85   embarras du monde, et qu'une personne faite tout comme
monsieur s'est présentée à moi, à qui j'ai demandé secours, et
qui m'est venue tirer de la peine où j'étais; et ma surprise a
été grande de voir inopinément[2], en arrivant ici, ce que j'ai eu
dans l'idée toute la nuit.

90 CLÉANTE – Ce n'est pas être malheureux que d'occuper votre
pensée, soit en dormant, soit en veillant, et mon bonheur
serait grand sans doute si vous étiez dans quelque peine dont
vous me jugeassiez digne de vous tirer; et il n'y a rien que je
ne fisse pour...

Notes

1. pour vous montrer : pour vous donner   **2. inopinément :** de manière imprévue.
votre leçon.

SCÈNE 4

TOINETTE, CLÉANTE, ANGÉLIQUE, ARGAN

95 TOINETTE, *par dérision*[1] – Ma foi, monsieur, je suis pour vous maintenant, et je me dédis de tout ce que je disais hier. Voici monsieur Diafoirus le père, et monsieur Diafoirus le fils, qui viennent vous rendre visite. Que vous serez bien engendré[2]! Vous allez voir le garçon le mieux fait du monde, et le plus
100 spirituel[3]. Il n'a dit que deux mots, qui m'ont ravie, et votre fille va être charmée de lui.

ARGAN, *à Cléante, qui feint de vouloir s'en aller* – Ne vous en allez point, monsieur. C'est que je marie ma fille ; et voilà qu'on lui amène son prétendu mari, qu'elle n'a point encore vu.

105 CLÉANTE – C'est m'honorer beaucoup, monsieur, de vouloir que je sois témoin d'une entrevue si agréable.

ARGAN – C'est le fils d'un habile médecin, et le mariage se fera dans quatre jours.

CLÉANTE – Fort bien.

110 ARGAN – Mandez-le[4] un peu à son maître de musique, afin qu'il se trouve à la noce.

CLÉANTE – Je n'y manquerai pas.

ARGAN – Je vous y prie aussi.

CLÉANTE – Vous me faites beaucoup d'honneur.

115 ARGAN – Allons, qu'on se range, les voici.

Notes

1. **par dérision** : en se moquant.
2. **vous serez bien engendré** : vous aurez un bon gendre.
3. **spirituel** : qui est plein d'esprit.
4. **mandez-le** : faites-le savoir.

SCÈNE 5

MONSIEUR DIAFOIRUS, THOMAS DIAFOIRUS, ARGAN,
ANGÉLIQUE, CLÉANTE, TOINETTE

ARGAN, *mettant la main à son bonnet sans l'ôter* – Monsieur Purgon, monsieur, m'a défendu de découvrir ma tête. Vous êtes
du métier, vous savez les conséquences.

120 MONSIEUR DIAFOIRUS – Nous sommes dans toutes nos visites
pour porter secours aux malades, et non pour leur porter de
l'incommodité[1].

ARGAN – Je reçois, monsieur…

(Ils parlent tous deux en même temps, s'interrompent et confondent.)

MONSIEUR DIAFOIRUS – Nous venons ici, monsieur…

125 ARGAN – Avec beaucoup de joie…

MONSIEUR DIAFOIRUS – Mon fils Thomas, et moi…

ARGAN – L'honneur que vous me faites…

MONSIEUR DIAFOIRUS – Vous témoigner, monsieur…

ARGAN – Et j'aurais souhaité…

130 MONSIEUR DIAFOIRUS – Le ravissement où nous sommes…

ARGAN – De pouvoir aller chez vous…

MONSIEUR DIAFOIRUS – De la grâce que vous nous faites…

ARGAN – Pour vous en assurer…

MONSIEUR DIAFOIRUS – De vouloir bien nous recevoir…

135 ARGAN – Mais vous savez, monsieur…

MONSIEUR DIAFOIRUS – Dans l'honneur, monsieur…

ARGAN – Ce que c'est qu'un pauvre malade…

MONSIEUR DIAFOIRUS – De votre alliance…

ARGAN – Qui ne peut faire autre chose…

Note

1. incommodité : gêne.

140 MONSIEUR DIAFOIRUS – Et vous assurer…

ARGAN – Que de vous dire ici…

MONSIEUR DIAFOIRUS – Que dans les choses qui dépendront de notre métier…

ARGAN – Qu'il cherchera toutes les occasions…

145 MONSIEUR DIAFOIRUS – De même qu'en toute autre…

ARGAN – De vous faire connaître, monsieur…

MONSIEUR DIAFOIRUS – Nous serons toujours prêts, monsieur…

ARGAN – Qu'il est tout à votre service…

150 MONSIEUR DIAFOIRUS – À vous témoigner notre zèle[1]. *(Il se retourne vers son fils et lui dit :)* Allons, Thomas, avancez. Faites vos compliments.

THOMAS DIAFOIRUS *est un grand benêt, nouvellement sorti des écoles, qui fait toutes choses de mauvaise grâce et à contre temps* – N'est-ce
155 pas par le père qu'il convient commencer ?

MONSIEUR DIAFOIRUS – Oui.

THOMAS DIAFOIRUS – Monsieur, je viens saluer, reconnaître, chérir, et révérer[2] en vous un second père ; mais un second père auquel j'ose dire que je me trouve plus redevable qu'au
160 premier. Le premier m'a engendré ; mais vous m'avez choisi. Il m'a reçu par nécessité ; mais vous m'avez accepté par grâce[3]. Ce que je tiens de lui est un ouvrage de son corps ; mais ce que je tiens de vous est un ouvrage de votre volonté ; et d'autant plus que les facultés spirituelles sont au-dessus des corporelles,
165 d'autant plus je vous dois, et d'autant plus je tiens précieuse cette future filiation, dont je viens aujourd'hui vous rendre par avance les très humbles et très respectueux hommages.

TOINETTE – Vivent les collèges, d'où l'on sort si habile homme !

THOMAS DIAFOIRUS – Cela a-t-il bien été, mon père?

170 MONSIEUR DIAFOIRUS – *Optime*[1].

ARGAN, *à Angélique* – Allons, saluez monsieur.

THOMAS DIAFOIRUS – Baiserai-je[2]?

MONSIEUR DIAFOIRUS – Oui, oui.

THOMAS DIAFOIRUS, *à Angélique* – Madame, c'est avec justice
175 que le Ciel vous a concédé le nom de belle-mère, puisque
l'on…

ARGAN – Ce n'est pas ma femme, c'est ma fille à qui vous parlez.

THOMAS DIAFOIRUS – Où donc est-elle?

180 ARGAN – Elle va venir.

THOMAS DIAFOIRUS – Attendrai-je, mon père, qu'elle soit
venue?

MONSIEUR DIAFOIRUS – Faites toujours le compliment de
mademoiselle.

185 THOMAS DIAFOIRUS – Mademoiselle, ne plus ne moins que la
statue de Memnon[3] rendait un son harmonieux, lorsqu'elle
venait à être éclairée des rayons du soleil : tout de même me
sens-je animé d'un doux transport[4] à l'apparition du soleil
de vos beautés. Et comme les naturalistes remarquent que la
190 fleur nommée héliotrope tourne sans cesse vers cet astre du
jour, aussi mon cœur, dores-en-avant[5], tournera-t-il vers les
astres resplendissants de vos yeux adorables, ainsi que vers son
pôle unique. Souffrez donc, mademoiselle, que j'appende[6]
aujourd'hui à l'autel de vos charmes l'offrande de ce cœur,
195 qui ne respire et n'ambitionne autre gloire, que d'être toute

Notes

1. *optime* : (latin) très bien.
2. **baiserai-je ?** : dois-je l'embrasser ?
3. **Memnon** : héros grec dont la statue faisait entendre au lever du soleil une vibration.
4. **doux transport** : douce émotion.
5. **dores-en-avant** : dorénavant.
6. **j'appende** : je suspends.

sa vie, mademoiselle, votre très humble, très obéissant, et très fidèle serviteur et mari.

TOINETTE, *en le raillant*[1] – Voilà ce que c'est que d'étudier, on apprend à dire de belles choses.

200 ARGAN – Eh! que dites-vous de cela?

CLÉANTE – Que monsieur fait merveilles, et que s'il est aussi bon médecin qu'il est bon orateur, il y aura plaisir à être de ses malades.

TOINETTE – Assurément. Ce sera quelque chose d'admirable s'il 205 fait d'aussi belles cures[2] qu'il fait de beaux discours.

ARGAN – Allons vite ma chaise, et des sièges à tout le monde. Mettez-vous là, ma fille. Vous voyez, monsieur, que tout le monde admire monsieur votre fils, et je vous trouve bien heureux de vous voir un garçon comme cela.

210 MONSIEUR DIAFOIRUS – Monsieur, ce n'est pas parce que je suis son père, mais je puis dire que j'ai sujet d'être content de lui, et que tous ceux qui le voient en parlent comme d'un garçon qui n'a point de méchanceté. Il n'a jamais eu l'imagination bien vive, ni ce feu d'esprit qu'on remarque dans 215 quelques-uns; mais c'est par là que j'ai toujours bien auguré de sa judiciaire[3], qualité requise pour l'exercice de notre art. Lorsqu'il était petit, il n'a jamais été ce qu'on appelle mièvre[4] et éveillé. On le voyait toujours doux, paisible, et taciturne[5], ne disant jamais mot, et ne jouant jamais à tous ces petits jeux 220 que l'on nomme enfantins. On eut toutes les peines du monde à lui apprendre à lire, et il avait neuf ans, qu'il ne connaissait pas encore ses lettres. «Bon, disais-je en moi-même, les arbres tardifs sont ceux qui portent les meilleurs fruits; on grave sur le marbre bien plus malaisément[6] que sur le sable;

Notes

1. **en le raillant :** en se moquant de lui.
2. **cures :** soins, traitements.
3. **j'ai auguré de sa judiciaire :** j'ai pressenti ses capacités de jugement.
4. **mièvre :** malicieux.
5. **taciturne :** qui parle peu.
6. **malaisément :** difficilement.

225 mais les choses y sont conservées bien plus longtemps, et cette
     lenteur à comprendre, cette pesanteur d'imagination, est la
     marque d'un bon jugement à venir. » Lorsque je l'envoyai au
     collège, il trouva de la peine ; mais il se raidissait[1] contre les
     difficultés, et ses régents[2] se louaient toujours à moi de son
230 assiduité[3], et de son travail. Enfin, à force de battre le fer, il en
     est venu glorieusement à avoir ses licences[4] ; et je puis dire sans
     vanité que depuis deux ans qu'il est sur les bancs, il n'y a point
     de candidat qui ait fait plus de bruit que lui dans toutes les
     disputes de notre école. Il s'y est rendu redoutable, et il ne s'y
235 passe point d'acte[5] où il n'aille argumenter à outrance[6] pour la
     proposition contraire. Il est ferme dans la dispute, fort comme
     un Turc sur ses principes, ne démord jamais de son opinion,
     et poursuit un raisonnement jusque dans les derniers recoins
     de la logique. Mais sur toute chose ce qui me plaît en lui, et
240 en quoi il suit mon exemple, c'est qu'il s'attache aveuglément
     aux opinions de nos anciens, et que jamais il n'a voulu com-
     prendre ni écouter les raisons et les expériences des prétendues
     découvertes de notre siècle, touchant la circulation du sang, et
     autres opinions de même farine[7].

245 THOMAS DIAFOIRUS, *tirant une grande thèse roulée de sa poche, qu'il
     présente à Angélique* – J'ai contre les circulateurs[8] soutenu une
     thèse, qu'avec la permission de monsieur, j'ose présenter à
     mademoiselle, comme un hommage que je lui dois des pré-
     mices[9] de mon esprit.

250 ANGÉLIQUE – Monsieur, c'est pour moi un meuble[10] inutile, et
     je ne me connais pas à ces choses-là.

Notes

1. **il se raidissait** : il faisait des efforts.
2. **ses régents** : ses professeurs.
3. **assiduité** : régularité.
4. **ses licences** : ses diplômes universitaires.
5. **disputes, actes** : discussions.

6. **à outrance** : au maximum.
7. **de même farine** : sans intérêt.
8. **circulateurs** : ceux qui pensent que le sang circule dans les veines.
9. **prémices** : premières réalisations.
10. **meuble** : objet.

TOINETTE – Donnez, donnez, elle est toujours bonne à prendre pour l'image ; cela servira à parer[1] notre chambre.

THOMAS DIAFOIRUS – Avec la permission aussi de monsieur, je vous invite à venir voir l'un de ces jours, pour vous divertir, la dissection d'une femme, sur quoi je dois raisonner.

TOINETTE – Le divertissement sera agréable. Il y en a qui donnent la comédie à leurs maîtresses ; mais donner une dissection est quelque chose de plus galant.

MONSIEUR DIAFOIRUS – Au reste, pour ce qui est des qualités requises pour le mariage et la propagation[2], je vous assure que, selon les règles de nos docteurs, il est tel qu'on le peut souhaiter, qu'il possède en un degré louable la vertu prolifique[3] et qu'il est du tempérament qu'il faut pour engendrer et procréer des enfants bien conditionnés.

ARGAN – N'est-ce pas votre intention, monsieur, de le pousser à la cour, et d'y ménager pour lui une charge de médecin ?

MONSIEUR DIAFOIRUS – À vous en parler franchement, notre métier auprès des grands ne m'a jamais paru agréable, et j'ai toujours trouvé qu'il valait mieux, pour nous autres, demeurer au public[4]. Le public est commode. Vous n'avez à répondre de vos actions à personne ; et pourvu que l'on suive le courant des règles de l'art, on ne se met point en peine de tout ce qui peut arriver. Mais ce qu'il y a de fâcheux auprès des grands, c'est que, quand ils viennent à être malades, ils veulent absolument que leurs médecins les guérissent.

TOINETTE – Cela est plaisant, et ils sont bien impertinents de vouloir que vous autres messieurs vous les guérissiez : vous n'êtes point auprès d'eux pour cela ; vous n'y êtes que pour

---

Notes

1. **parer** : décorer.
2. **propagation** : relatif à la naissance des enfants.
3. **la vertu prolifique** : la capacité d'engendrer.
4. **demeurer au public** : rester médecin du peuple.

280 recevoir vos pensions[1], et leur ordonner des remèdes ; c'est à
eux à guérir s'ils peuvent.

MONSIEUR DIAFOIRUS – Cela est vrai. On n'est obligé qu'à trai-
ter les gens dans les formes[2].

ARGAN, *à Cléante* – Monsieur, faites un peu chanter ma fille
285 devant la compagnie.

CLÉANTE – J'attendais vos ordres, monsieur, et il m'est venu en
pensée, pour divertir la compagnie, de chanter avec mademoiselle une scène d'un petit opéra qu'on a fait depuis peu.
(À Angélique, lui donnant un papier.) Tenez, voilà votre partie[3].

290 ANGÉLIQUE – Moi ?

CLÉANTE, *bas à Angélique* – Ne vous défendez point, s'il vous
plaît, et me laissez vous faire comprendre ce que c'est que la
scène que nous devons chanter. *(Haut.)* Je n'ai pas une voix à
chanter ; mais ici il suffit que je me fasse entendre, et l'on aura
295 la bonté de m'excuser par la nécessité où je me trouve de faire
chanter mademoiselle.

ARGAN – Les vers en sont-ils beaux ?

CLÉANTE – C'est proprement ici un petit opéra impromptu[4],
et vous n'allez entendre chanter que de la prose cadencée, ou
300 des manières de vers libres, tels que la passion et la nécessité
peuvent faire trouver à deux personnes qui disent les choses
d'elles-mêmes, et parlent sur-le-champ.

ARGAN – Fort bien. Écoutons.

CLÉANTE, *sous le nom d'un berger, explique à sa maîtresse son amour*
305 *depuis leur rencontre, et ensuite ils s'appliquent[5] leurs pensées l'un à*
l'autre en chantant – Voici le sujet de la scène. Un berger était
attentif aux beautés d'un spectacle, qui ne faisait que de com-

---

1. **vos pensions** : rentes touchées par les
médecins.
2. **dans les formes** : dans les règles de
l'art.

3. **partie** : papier où est notée la
composition musicale.
4. **impromptu** : improvisé.
5. **ils s'appliquent** : ils se disent.

mencer, lorsqu'il fut tiré de son attention par un bruit qu'il entendit à ses côtés. Il se retourne, et voit un brutal, qui de paroles insolentes maltraitait une bergère. D'abord il prend les intérêts[1] d'un sexe à qui tous les hommes doivent hommage ; et après avoir donné au brutal le châtiment de son insolence, il vient à la bergère, et voit une jeune personne qui, des deux plus beaux yeux qu'il eût jamais vus, versait des larmes, qu'il trouva les plus belles du monde. « Hélas ! dit-il en lui-même, est-on capable d'outrager[2] une personne si aimable ? Et quel humain, quel barbare, ne serait touché par de telles larmes ? » Il prend soin de les arrêter, ces larmes, qu'il trouve si belles ; et l'aimable bergère prend soin en même temps de le remercier de son léger service, mais d'une manière si charmante, si tendre, et si passionnée, que le berger n'y peut résister ; et chaque mot, chaque regard, est un trait plein de flamme, dont son cœur se sent pénétré. « Est-il, disait-il, quelque chose qui puisse mériter les aimables paroles d'un tel remerciement ? Et que ne voudrait-on pas faire, à quels services, à quels dangers, ne serait-on pas ravi de courir, pour s'attirer un seul moment des touchantes douceurs d'une âme si reconnaissante ? » Tout le spectacle passe sans qu'il y donne aucune attention ; mais il se plaint qu'il est trop court, parce qu'en finissant il le sépare de son adorable bergère ; et de cette première vue, de ce premier moment, il emporte chez lui tout ce qu'un amour de plusieurs années peut avoir de plus violent. Le voilà aussitôt à sentir tous les maux de l'absence, et il est tourmenté de ne plus voir ce qu'il a si peu vu. Il fait tout ce qu'il peut pour se redonner cette vue[3], dont il conserve, nuit et jour, une si chère idée ; mais la grande contrainte[4] où l'on tient sa bergère lui en ôte tous les moyens. La violence de sa passion le

---

Notes

1. **il prend les intérêts** : il prend parti pour.
2. **outrager** : offenser.

3. **pour se redonner cette vue** : pour la revoir.
4. **la grande contrainte** : la grande surveillance.

fait résoudre à demander en mariage l'adorable beauté sans
laquelle il ne peut plus vivre, et il en obtient d'elle la permis-
340 sion par un billet qu'il a l'adresse de lui faire tenir[1]. Mais dans
le même temps on l'avertit que le père de cette belle a conclu
son mariage avec un autre, et que tout se dispose pour en
célébrer la cérémonie. Jugez quelle atteinte cruelle au cœur de
ce triste berger. Le voilà accablé d'une mortelle douleur. Il ne
345 peut souffrir l'effroyable idée de voir tout ce qu'il aime entre
les bras d'un autre ; et son amour au désespoir lui fait trouver moyen de s'introduire dans la maison de sa bergère, pour
apprendre ses sentiments et savoir d'elle la destinée à laquelle
il doit se résoudre. Il y rencontre les apprêts[2] de tout ce qu'il
350 craint ; il y voit venir l'indigne rival que le caprice d'un père
oppose aux tendresses de son amour. Il le voit triomphant,
ce rival ridicule, auprès de l'aimable bergère, ainsi qu'auprès
d'une conquête qui lui est assurée ; et cette vue le remplit
d'une colère, dont il a peine à se rendre le maître. Il jette de
355 douloureux regards sur celle qu'il adore ; et son respect, et
la présence de son père l'empêchent de lui rien dire que des
yeux. Mais enfin il force toute contrainte, et le transport de
son amour l'oblige à lui parler ainsi :

(Il chante.)

360   *Belle Philis, c'est trop, c'est trop souffrir ;*
    Rompons ce dur silence, et m'ouvrez vos pensées.
           Apprenez-moi ma destinée :
           Faut-il vivre ? Faut-il mourir ?

ANGÉLIQUE *répond en chantant.*
Vous me voyez, Tircis, triste et mélancolique,
365 *Aux apprêts de l'hymen[3] dont vous vous alarmez :*

Notes

1. **de lui faire tenir :** de lui faire parvenir.   3. **l'hymen :** le mariage.
2. **les apprêts :** les préparatifs.

Je lève au ciel les yeux, je vous regarde, je soupire,
            C'est vous en dire assez.

ARGAN – Ouais ! je ne croyais pas que ma fille fût si habile que de chanter ainsi à livre ouvert, sans hésiter.

CLÉANTE

370   *Hélas ! belle Philis,*
Se pourrait-il que l'amoureux Tircis
            Eût assez de bonheur,
Pour avoir quelque place dans votre cœur ?

ANGÉLIQUE

Je ne m'en défends point dans cette peine extrême :
375   *Oui, Tircis, je vous aime.*

CLÉANTE

            Ô parole pleine d'appas[1] !
            Ai-je bien entendu, hélas !
Redites-la, Philis, que je n'en doute pas.

ANGÉLIQUE

            Oui, Tircis, je vous aime.

CLÉANTE

380   *De grâce, encor, Philis.*

ANGÉLIQUE

            Je vous aime.

CLÉANTE

Recommencez cent fois, ne vous en lassez pas.

ANGÉLIQUE

            Je vous aime, je vous aime,
            Oui, Tircis, je vous aime.

CLÉANTE

385 *Dieux, rois, qui sous vos pieds regardez tout le monde,*
Pouvez-vous comparer votre bonheur au mien ?

Note

1. **appas** : promesses.

> *Mais, Philis, une pensée*
> *Vient troubler ce doux transport :*
> *Un rival, un rival...*

ANGÉLIQUE

390
> *Ah ! je le hais plus que la mort ;*
> *Et sa présence, ainsi qu'à vous,*
> *M'est un cruel supplice.*

CLÉANTE

Mais un père à ses vœux vous veut assujettir[1].

ANGÉLIQUE

> *Plutôt, plutôt mourir,*
395
> *Que de jamais y consentir ;*
> *Plutôt, plutôt mourir, plutôt mourir.*

ARGAN – Et que dit le père à tout cela ?

CLÉANTE – Il ne dit rien.

ARGAN – Voilà un sot père que ce père-là, de souffrir toutes ces
400 sottises-là sans rien dire.

CLÉANTE

> *Ah ! mon amour...*

ARGAN – Non, non, en voilà assez. Cette comédie-là est de
fort mauvais exemple. Le berger Tircis est un impertinent, et
la bergère Philis une impudente[2], de parler de la sorte devant
405 son père. Montrez-moi ce papier. Ah, ah. Où sont donc les
paroles que vous avez dites ? Il n'y a là que de la musique
écrite.

CLÉANTE – Est-ce que vous ne savez pas, monsieur, qu'on a
trouvé depuis peu l'invention d'écrire les paroles avec les
410 notes mêmes ?

Notes

1. **assujettir** : soumettre.   2. **impudente** : insolente.

ARGAN – Fort bien. Je suis votre serviteur, monsieur ; jusqu'au revoir. Nous nous serions bien passés de votre impertinent d'opéra.

CLÉANTE – J'ai cru vous divertir.

415 ARGAN – Les sottises ne divertissent point. Ah ! voici ma femme.

Gravure représentant *Le Malade imaginaire*, acte II, scène 5.
À gauche : Angélique chantant, Toinette et Thomas Diafoirus.
Au centre : Argan. À droite : Monsieur Diafoirus et Cléante chantant.

Au fil du texte

QUE S'EST-IL PASSÉ ENTRE-TEMPS ?

1 Qui sont les personnages qui se présentent à Argan aux scènes 2 et 5 de l'acte II ?

2 Quelles sont les raisons de leur visite ?

3 Quelle attente est ainsi créée ?

AVEZ-VOUS BIEN LU ?

Le vocabulaire du théâtre

- **didascalies** : indications données par l'auteur pour la mise en scène.
- **réplique** : paroles prononcées par un personnage.

4 Divisez cette longue scène en deux grandes parties.

5 Donnez un titre pour chacune d'elles.

6 Citez la réplique qui est à la charnière* de ces deux parties.

* *charnière :* moment du texte qui marque la séparation entre deux parties.

ÉTUDIER LES DISCOURS

7 Relevez les oppositions dans le compliment de Thomas Diafoirus à Argan aux lignes 157 à 167.

8 Relevez les métaphores* employées dans le compliment à Angélique aux lignes 185 à 197.

9 Étudiez la composition du portrait de Thomas par son père aux lignes 210 à 244.

* *métaphore :* figure de style qui consiste à remplacer un mot par un autre selon un rapport de ressemblance.

10 Comment réussit-il à transformer en qualités les défauts de son fils ?

11 Quelle image les Diafoirus essaient-ils de se donner au travers de ces discours ?

ÉTUDIER L'ÉCRITURE

12 Qui est véritablement le berger dont Cléante raconte l'histoire aux lignes 304 à 358 ?

13 Pourquoi Cléante utilise-t-il ce subterfuge* ?

> * *subterfuge* : ruse.

14 Dans la chanson de Cléante et d'Angélique (lignes 360 à 401), relevez les mots ou expressions appartenant aux champs lexicaux de l'amour et de la douleur.

15 Que peut-on en déduire ?

ÉTUDIER LE COMIQUE

16 Quel procédé Molière utilise-t-il pour que les répliques entre Argan et M. Diafoirus (lignes 122 à 150) suscitent le rire ?

17 Relevez les répliques de Toinette et expliquez leur ironie*.

> * *ironie* : procédé qui consiste à faire comprendre le contraire de ce que l'on dit.

18 À la ligne 153, la didascalie nous prévient que Thomas Diafoirus est « *un grand benêt qui fait toutes choses de mauvaise grâce et à contre-temps* ». Relevez dans cette scène des exemples illustrant ces indications.

ÉTUDIER UN THÈME

19 Relevez les critiques de Molière à l'égard de la médecine et des médecins qui transparaissent au cours de cette scène.

À VOS PLUMES !

20 À la manière de Molière aux lignes 122 à 150, rédigez un dialogue utilisant le même procédé.

MISE EN SCÈNE

21 Choisissez un partenaire et jouez ce dialogue de Molière puis celui que vous aurez écrit.

Le Malade imaginaire par Daumier.

SCÈNE 6

ARGAN – M'amour, voilà le fils de monsieur Diafoirus.

THOMAS DIAFOIRUS *commence un compliment qu'il avait étudié, et la mémoire lui manquant, il ne peut continuer* – Madame, c'est avec justice que le Ciel vous a concédé[1] le nom de belle-mère,
420 puisque l'on voit sur votre visage…

BÉLINE – Monsieur, je suis ravie d'être venue ici à propos pour avoir l'honneur de vous voir.

THOMAS DIAFOIRUS – Puisque l'on voit sur votre visage… puisque l'on voit sur votre visage… Madame, vous m'avez
425 interrompu dans le milieu de ma période[2], et cela m'a troublé la mémoire.

MONSIEUR DIAFOIRUS – Thomas, réservez cela pour une autre fois.

ARGAN – Je voudrais, mamie, que vous eussiez été ici tantôt[3].

430 TOINETTE – Ah! madame, vous avez bien perdu de n'avoir point été au second père, à la statue de Memnon, et à la fleur nommée héliotrope[4].

ARGAN – Allons, ma fille, touchez dans la main de monsieur, et lui donnez votre foi, comme à votre mari.

435 ANGÉLIQUE – Mon père.

ARGAN – Hé bien! «Mon père?» Qu'est-ce que cela veut dire?

ANGÉLIQUE – De grâce, ne précipitez pas les choses. Donnez-nous au moins le temps de nous connaître, et de voir naître en

---

Notes

1. **concédé** : donné.
2. **période** : longue phrase.
3. **tantôt** : il y a quelques instants.
4. **héliotrope** : plante qui se tourne vers le soleil.

nous l'un pour l'autre cette inclination si nécessaire à compo-
440 ser une union parfaite.

THOMAS DIAFOIRUS – Quant à moi, mademoiselle, elle est déjà
toute née en moi, et je n'ai pas besoin d'attendre davantage.

ANGÉLIQUE – Si vous êtes si prompt[1], monsieur, il n'en est pas
de même de moi, et je vous avoue que votre mérite n'a pas
445 encore fait assez d'impression dans mon âme.

ARGAN – Oh bien, bien ! cela aura tout le loisir de se faire,
quand vous serez mariés ensemble.

ANGÉLIQUE – Hé ! mon père, donnez-moi du temps, je vous
prie. Le mariage est une chaîne où l'on ne doit jamais sou-
450 mettre un cœur par force ; et si monsieur est honnête homme,
il ne doit point vouloir accepter une personne qui serait à lui
par contrainte.

THOMAS DIAFOIRUS – *Nego consequentiam*[2], mademoiselle, et je
puis être honnête homme et vouloir bien vous accepter des
455 mains de monsieur votre père.

ANGÉLIQUE – C'est un méchant moyen de se faire aimer de
quelqu'un que de lui faire violence.

THOMAS DIAFOIRUS – Nous lisons des anciens, mademoiselle,
que leur coutume était d'enlever par force de la maison des
460 pères les filles qu'on menait marier, afin qu'il ne semblât pas
que ce fût de leur consentement qu'elles convolaient[3] dans les
bras d'un homme.

ANGÉLIQUE – Les anciens, monsieur, sont les anciens, et nous
sommes les gens de maintenant. Les grimaces ne sont point
465 nécessaires dans notre siècle ; et quand un mariage nous plaît,
nous savons fort bien y aller, sans qu'on nous y traîne. Don-

---

Notes

1. **prompt** : rapide.
2. *nego consequentiam* : (latin) je refuse
la conséquence. Pour Thomas, le fait

d'être honnête homme n'implique pas le
refus d'épouser.
3. **convolaient** : épousaient.

nez-vous patience : si vous m'aimez, monsieur, vous devez vouloir tout ce que je veux.

THOMAS DIAFOIRUS – Oui, mademoiselle, jusqu'aux intérêts de
470 mon amour exclusivement.

ANGÉLIQUE – Mais la grande marque d'amour, c'est d'être soumis aux volontés de celle qu'on aime.

THOMAS DIAFOIRUS – *Distinguo*, mademoiselle : dans ce qui ne regarde point sa possession, *concedo* ; mais dans ce qui la
475 regarde, *nego*[1].

TOINETTE – Vous avez beau raisonner : monsieur est frais émoulu du collège[2], et il vous donnera toujours votre reste. Pourquoi tant résister, et refuser la gloire d'être attachée au corps de la Faculté ?

480 BÉLINE – Elle a peut-être quelque inclination en tête.

ANGÉLIQUE – Si j'en avais, madame, elle serait telle que la raison et l'honnêteté pourraient me la permettre.

ARGAN – Ouais ! je joue ici un plaisant personnage.

BÉLINE – Si j'étais que de vous, mon fils, je ne la forcerais point
485 à se marier, et je sais bien ce que je ferais.

ANGÉLIQUE – Je sais, madame, ce que vous voulez dire, et les bontés que vous avez pour moi ; mais peut-être que vos conseils ne seront pas assez heureux pour être exécutés.

BÉLINE – C'est que les filles bien sages et bien honnêtes, comme
490 vous, se moquent d'être obéissantes, et soumises aux volontés de leurs pères. Cela était bon autrefois.

ANGÉLIQUE – Le devoir d'une fille a des bornes, madame, et la raison et les lois ne l'étendent point à toutes sortes de choses.

Notes

1. *distinguo, concedo, nego* : (latin) je distingue, je concède, je nie.

2. frais émoulu du collège : tout juste sorti du collège.

BÉLINE – C'est-à-dire que vos pensées ne sont que pour le
495   mariage ; mais vous voulez choisir un époux à votre fantaisie[1].

ANGÉLIQUE – Si mon père ne veut pas me donner un mari qui
me plaise, je le conjurerai[2] au moins de ne me point forcer à
en épouser un que je ne puisse aimer.

ARGAN – Messieurs, je vous demande pardon de tout ceci.

500   ANGÉLIQUE – Chacun a son but en se mariant. Pour moi, qui ne
veux un mari que pour l'aimer véritablement, et qui prétends
en faire tout l'attachement de ma vie, je vous avoue que j'y
cherche quelque précaution. Il y en a d'autres qui prennent des
maris seulement pour se tirer de la contrainte de leurs parents,
505   et se mettre en état de faire tout ce qu'elles voudront. Il y en
a d'autres, madame, qui font du mariage un commerce de
pur intérêt, qui ne se marient que pour gagner des douaires[3],
que pour s'enrichir par la mort de ceux qu'elles épousent, et
courent sans scrupule de mari en mari, pour s'approprier leurs
510   dépouilles[4]. Ces personnes-là, à la vérité, n'y cherchent pas
tant de façons[5], et regardent peu à la personne.

BÉLINE – Je vous trouve aujourd'hui bien raisonnante, et je
voudrais bien savoir ce que vous voulez dire par là.

ANGÉLIQUE – Moi, madame, que voudrais-je dire que ce que
515   je dis ?

BÉLINE – Vous êtes si sotte, mamie, qu'on ne saurait plus vous
souffrir.

ANGÉLIQUE – Vous voudriez bien, madame, m'obliger à vous
répondre quelque impertinence ; mais je vous avertis que vous
520   n'aurez pas cet avantage.

BÉLINE – Il n'est rien d'égal à votre insolence.

Notes

1. **à votre fantaisie** : à votre goût.
2. **je le conjurerai** : je l'implorerai.
3. **douaires** : biens qu'un mari prévoit de
donner à sa femme s'il meurt avant elle.

4. **leurs dépouilles** : les biens qui restent
du défunt.
5. **façons** : manières.

ANGÉLIQUE – Non, madame, vous avez beau dire.

BÉLINE – Et vous avez un ridicule orgueil, une impertinente présomption[1] qui fait hausser les épaules à tout le monde.

525 ANGÉLIQUE – Tout cela, madame, ne servira de rien. Je serai sage en dépit de vous ; et pour vous ôter l'espérance de pouvoir réussir dans ce que vous voulez, je vais m'ôter de votre vue.

ARGAN – Écoute, il n'y a point de milieu à cela[2] : choisis d'épou-
530 ser dans quatre jours, ou monsieur, ou un couvent. *(À Béline.)* Ne vous mettez pas en peine, je la rangerai bien[3].

BÉLINE – Je suis fâchée de vous quitter, mon fils, mais j'ai une affaire en ville, dont je ne puis me dispenser. Je reviendrai bientôt.

535 ARGAN – Allez, m'amour, et passez chez votre notaire, afin qu'il expédie ce que vous savez.

BÉLINE – Adieu, mon petit ami.

ARGAN – Adieu, mamie. Voilà une femme qui m'aime… cela n'est pas croyable.

540 MONSIEUR DIAFOIRUS – Nous allons, monsieur, prendre congé de vous.

ARGAN – Je vous prie, monsieur, de me dire un peu comment je suis.

MONSIEUR DIAFOIRUS *lui tâte le pouls* – Allons, Thomas, prenez
545 l'autre bras de monsieur, pour voir si vous saurez porter un bon jugement de son pouls. *Quid dicis*[4] ?

Notes

1. **présomption** : opinion trop avantageuse de soi-même.
2. **il n'y a point de milieu à cela** : de deux choses l'une.

3. **je la rangerai bien** : je l'obligerai à obéir.
4. *quid dicis* : (latin) que dis-tu ?

THOMAS DIAFOIRUS – *Dico*[1] que le pouls de monsieur est le pouls d'un homme qui ne se porte point bien.

MONSIEUR DIAFOIRUS – Bon.

550 THOMAS DIAFOIRUS – Qu'il est duriuscule[2], pour ne pas dire dur.

MONSIEUR DIAFOIRUS – Fort bien.

THOMAS DIAFOIRUS – Repoussant[3].

MONSIEUR DIAFOIRUS – *Bene.*

555 THOMAS DIAFOIRUS – Et même un peu caprisant[4].

MONSIEUR DIAFOIRUS – *Optime*[5].

THOMAS DIAFOIRUS – Ce qui marque une intempérie[6] dans le *parenchyme splénique*, c'est-à-dire la rate.

MONSIEUR DIAFOIRUS – Fort bien.

560 ARGAN – Non : monsieur Purgon dit que c'est mon foie qui est malade.

MONSIEUR DIAFOIRUS – Eh! oui : qui dit *parenchyme*, dit l'un et l'autre, à cause de l'étroite sympathie[7] qu'ils ont ensemble, par le moyen du *vas breve*[8] *du pylore*[9], et souvent des *méats cho-*
565 *lidoques*[10]. Il vous ordonne sans doute de manger force rôti[11]?

ARGAN – Non, rien que du bouilli.

MONSIEUR DIAFOIRUS – Eh! oui : rôti, bouilli, même chose. Il vous ordonne fort prudemment, et vous ne pouvez être en de meilleures mains.

Notes

1. *dico* : (latin) je dis.
2. **duriuscule** : un peu dur.
3. **repoussant** : qui bat assez fort et repousse le doigt qui le presse.
4. **caprisant** : irrégulier.
5. *optime* : (latin) très bien.
6. **intempérie** : mauvaise constitution.

7. **sympathie** : lien.
8. **vas breve** : canal biliaire.
9. **pylore** : orifice intérieur de l'estomac.
10. **méats cholidoques** : conduits qui amènent la bile dans le duodénum.
11. **force rôti** : du rôti en grande quantité.

570 ARGAN – Monsieur, combien est-ce qu'il faut mettre de grains de sel dans un œuf?

MONSIEUR DIAFOIRUS – Six, huit, dix, par les nombres pairs; comme dans les médicaments, par les nombres impairs.

ARGAN – Jusqu'au revoir, monsieur.

Au fil du texte

Questions sur l'acte II, scène 6 (pages 92 à 98)

QUE S'EST-IL PASSÉ ENTRE-TEMPS ?

1 Qui se joint aux personnages au début de la scène 6 ?

2 Qu'a-t-on appris dans les scènes antérieures sur ses opinions à l'égard du mariage d'Angélique ?

AVEZ-VOUS BIEN LU ?

3 Que demande Argan à sa fille ?

4 Comment réagit-elle ?

5 À quel moment et pourquoi Angélique et Béline quittent-elles la scène ?

6 Que demande alors Argan à M. Diafoirus ?

ÉTUDIER LES PAROLES
DES PERSONNAGES

7 Angélique refuse d'épouser Diafoirus : citez les arguments* qu'elle oppose à son père, à Thomas Diafoirus et à Béline.

*arguments : dans un propos argumentatif, les arguments sont les raisons qui justifient l'idée que l'on défend.

8 Sur quel ton les exprime-t-elle ?

9 Que peut-on en déduire quant aux traits de caractère d'Angélique ?

ÉTUDIER LE COMIQUE

10 Relevez les éléments comiques de la consultation (lignes 544 à 574).

11 Quelle image donnent-ils de la médecine ?

À VOS PLUMES : LE MARIAGE IDÉAL

12 Vous écrivez à un(e) ami(e) pour lui exposer quelles seraient, selon vous, les meilleures conditions à réunir et les erreurs à éviter pour réussir le mariage idéal.

LIRE L'IMAGE

13 Décrivez les deux personnages qui sont au chevet d'Argan.

14 Relevez les éléments qui les rendent à la fois inquiétants et comiques.

15 À quels personnages de la scène correspondent-ils ?

Le Malade imaginaire **par Daumier.**

SCÈNE 7

BÉLINE, ARGAN

575 BÉLINE – Je viens, mon fils, avant de sortir, vous donner avis[1] d'une chose à laquelle il faut que vous preniez garde. En passant par-devant la chambre d'Angélique, j'ai vu un jeune homme avec elle, qui s'est sauvé d'abord qu'il m'a vue.

ARGAN – Un jeune homme avec ma fille ?

580 BÉLINE – Oui. Votre petite fille Louison était avec eux, qui pourra vous en dire des nouvelles.

ARGAN – Envoyez-la ici, m'amour, envoyez-la ici. Ah ! l'effrontée ! je ne m'étonne plus de sa résistance.

SCÈNE 8

LOUISON, ARGAN

LOUISON – Qu'est-ce que vous voulez, mon papa ? Ma belle-
585 maman m'a dit que vous me demandez.

ARGAN – Oui. Venez çà[2], avancez là. Tournez-vous, levez les yeux, regardez-moi. Eh !

LOUISON – Quoi, mon papa ?

ARGAN – Là.

590 LOUISON – Quoi ?

ARGAN – N'avez-vous rien à me dire ?

LOUISON – Je vous dirai, si vous voulez, pour vous désennuyer[3], le conte de *Peau d'âne*, ou bien la fable du *Corbeau et du Renard*, qu'on m'a apprise depuis peu.

595 ARGAN – Ce n'est pas là ce que je vous demande.

Notes

1. **vous donner avis** : vous prévenir.   3. **vous désennuyer** : vous distraire.
2. **venez-çà** : venez ici.

LOUISON – Quoi donc?

ARGAN – Ah! rusée, vous savez bien ce que je veux dire.

LOUISON – Pardonnez-moi, mon papa.

ARGAN – Est-ce là comme vous m'obéissez?

600 LOUISON – Quoi?

ARGAN – Ne vous ai-je pas recommandé de me venir dire d'abord tout ce que vous voyez?

LOUISON – Oui, mon papa.

ARGAN – L'avez-vous fait?

605 LOUISON – Oui, mon papa. Je vous suis venue dire tout ce que j'ai vu.

ARGAN – Et n'avez-vous rien vu aujourd'hui?

LOUISON – Non, mon papa.

ARGAN – Non?

610 LOUISON – Non, mon papa.

ARGAN – Assurément?

LOUISON – Assurément.

ARGAN – Oh çà! je m'en vais vous faire voir quelque chose, moi.

615 *(Il va prendre une poignée de verges[1].)*

LOUISON – Ah! mon papa.

ARGAN – Ah, ah! petite masque[2], vous ne me dites pas que vous avez vu un homme dans la chambre de votre sœur?

LOUISON – Mon papa!

620 ARGAN – Voici qui vous apprendra à mentir.

Notes

1. verges : baguettes de bois servant à frapper.

2. petite masque : vilaine.

LOUISON *se jette à genoux* – Ah! mon papa, je vous demande pardon. C'est que ma sœur m'avait dit de ne pas vous le dire, et je m'en vais vous dire tout.

ARGAN – Il faut premièrement que vous ayez le fouet pour avoir
625 menti. Puis après nous verrons au reste.

LOUISON – Pardon, mon papa!

ARGAN – Non, non.

LOUISON – Mon pauvre papa, ne me donnez pas le fouet!

ARGAN – Vous l'aurez.

630 LOUISON – Au nom de Dieu! mon papa, que je ne l'aie pas.

ARGAN, *la prenant pour la fouetter* – Allons, allons.

LOUISON – Ah! mon papa, vous m'avez blessée. Attendez : je suis morte.

(Elle contrefait[1] la morte.)

635 ARGAN – Holà! Qu'est-ce là? Louison, Louison. Ah! mon Dieu! Louison. Ah! ma fille! Ah! malheureux, ma pauvre fille est morte. Qu'ai-je fait, misérable! Ah! chiennes de verges. La peste soit des verges! Ah! ma pauvre fille, ma pauvre petite Louison.

640 LOUISON – Là, là, mon papa, ne pleurez point tant, je ne suis pas morte tout à fait.

ARGAN – Voyez-vous la petite rusée! Oh çà, çà! je vous pardonne pour cette fois-ci, pourvu que vous me disiez bien tout.

LOUISON – Oh! oui, mon papa.

645 ARGAN – Prenez-y bien garde au moins, car voilà un petit doigt qui sait tout, qui me dira si vous mentez.

LOUISON – Mais, mon papa, ne dites pas à ma sœur que je vous l'ai dit.

ARGAN – Non, non.

1. **contrefait** : fait semblant.

650 LOUISON – C'est, mon papa, qu'il est venu un homme dans la chambre de ma sœur comme j'y étais.

ARGAN – Hé bien ?

LOUISON – Je lui ai demandé ce qu'il demandait, et il m'a dit qu'il était son maître à chanter.

655 ARGAN – Hom, hom. Voilà l'affaire. Hé bien ?

LOUISON – Ma sœur est venue après.

ARGAN – Hé bien ?

LOUISON – Elle lui a dit : «Sortez, sortez, sortez, mon Dieu ! sortez ; vous me mettez au désespoir. »

660 ARGAN – Hé bien ?

LOUISON – Et lui, il ne voulait pas sortir.

ARGAN – Qu'est-ce qu'il lui disait ?

LOUISON – Il lui disait je ne sais combien de choses.

ARGAN – Et quoi encore ?

665 LOUISON – Il lui disait tout ci, tout çà[1], qu'il l'aimait bien, et qu'elle était la plus belle du monde.

ARGAN – Et puis après ?

LOUISON – Et puis après, il se mettait à genoux devant elle.

ARGAN – Et puis après ?

670 LOUISON – Et puis après, il lui baisait les mains.

ARGAN – Et puis après ?

LOUISON – Et puis après, ma belle-maman est venue à la porte, et il s'est enfui.

ARGAN – Il n'y a point autre chose ?

675 LOUISON – Non, mon papa.

ARGAN – Voilà mon petit doigt pourtant qui gronde quelque chose. *(Il met son doigt à son oreille.)* Attendez. Eh ! ah, ah ! oui ?

Note

1. tout ci, tout çà : plein de choses.

Oh, oh! voilà mon petit doigt qui me dit quelque chose que vous avez vu, et que vous ne m'avez pas dit.

680 LOUISON – Ah! mon papa, votre petit doigt est un menteur.

ARGAN – Prenez garde.

LOUISON – Non, mon papa, ne le croyez pas, il ment, je vous assure.

ARGAN – Oh bien, bien! nous verrons cela. Allez-vous-en, et
685 prenez garde à tout : allez. Ah! il n'y a plus d'enfants. Ah! que d'affaires! je n'ai pas seulement le loisir[1] de songer à ma maladie. En vérité, je n'en puis plus.

(Il se remet dans sa chaise.)

Le Malade imaginaire **joué par les Compagnons du théâtre classique (compagnie Paupélix) au théâtre Michel.**

Note

1. le loisir : le temps.

Au fil du texte

Questions sur l'acte II, scène 8 (pages 101 à 105)

QUE S'EST-IL PASSÉ ENTRE-TEMPS ?

1 Quelle information Béline apporte-t-elle à Argan à la scène 7 ?

2 Quelle est la réaction d'Argan ?

3 Que décide-t-il alors ?

AVEZ-VOUS BIEN LU ?

4 Quel nouveau personnage apparaît dans la scène 8 ?

5 Pourquoi Argan l'a-t-il demandée ?

6 Réussit-il à savoir tout ce qu'il souhaite ?

ÉTUDIER LE COMIQUE

7 Pourquoi peut-on dire que Louison est une *« petite rusée »* ?

8 Montrez que le comique de cette scène repose sur ce trait de caractère malicieux et sur les réactions d'Argan.

9 Quel genre de papa est Argan à l'égard de Louison ?

MISE EN SCÈNE

10 Relevez toutes les didascalies* de la scène.

11 Quel type d'informations apportent-elles ?

12 Pourquoi sont-elles ici plus nombreuses que dans d'autres scènes ?

* didascalies : **indications données par l'auteur pour la mise en scène.**

ÉTUDIER LA GRAMMAIRE

13 Relevez dans les lignes 584 à 612 toutes les phrases interrogatives.

14 Classez-les selon leur construction.

Les différents types de phrases

- La phrase **déclarative** donne une information.
- La phrase **impérative** exprime un ordre, une interdiction, un conseil.
- La phrase **interrogative** pose une question. L'interrogation peut être totale (réponse « oui » ou « non ») ou partielle, et sa construction varie selon le niveau de langue utilisé (familier, courant ou soutenu).

À VOS PLUMES !

15 Vous souhaitez savoir ce qu'il s'est passé pendant un cours dont vous étiez absent(e). Rédigez un dialogue au cours duquel vous poserez à un(e) ami(e) une « avalanche » de questions en vous efforçant d'en varier les constructions.

SCÈNE 9

BÉRALDE, ARGAN

BÉRALDE – Hé bien! mon frère, qu'est-ce? Comment vous por-
tez-vous?

ARGAN – Ah! mon frère, fort mal.

BÉRALDE – Comment «fort mal»?

ARGAN – Oui, je suis dans une faiblesse si grande que cela n'est
pas croyable.

BÉRALDE – Voilà qui est fâcheux.

ARGAN – Je n'ai pas seulement la force de pouvoir parler.

BÉRALDE – J'étais venu ici, mon frère, vous proposer un parti[1]
pour ma nièce Angélique.

ARGAN, *parlant avec emportement, et se levant de sa chaise* – Mon
frère, ne me parlez point de cette coquine-là. C'est une fri-
ponne, une impertinente, une effrontée, que je mettrai dans
un couvent avant qu'il soit deux jours.

BÉRALDE – Ah! voilà qui est bien: je suis bien aise que la force
vous revienne un peu, et que ma visite vous fasse du bien.
Oh çà! nous parlerons d'affaires tantôt. Je vous amène ici un
divertissement, que j'ai rencontré, qui dissipera votre chagrin,
et vous rendra l'âme mieux disposée aux choses que nous
avons à dire. Ce sont des Égyptiens[2], vêtus en Mores[3], qui
font des danses mêlées de chansons, où je suis sûr que vous
prendrez plaisir; et cela vaudra bien une ordonnance de monsieur Purgon. Allons.

Notes

1. **un parti**: un mari.
2. **Égyptiens**: noms donnés à des
bohémiens qui donnaient des spectacles.

3. **Mores**: arabes.

Second intermède

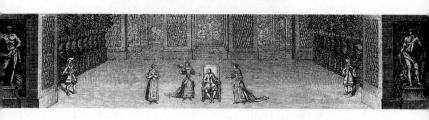

Le frère du Malade imaginaire lui amène, pour le divertir, plusieurs Égyptiens et Égyptiennes, vêtus en Mores, qui font des danses entremêlées de chansons.

PREMIÈRE FEMME MORE
> *Profitez du printemps*
5 > *De vos beaux ans,*
> *Aimable jeunesse ;*
> *Profitez du printemps*
> *De vos beaux ans,*
> *Donnez-vous à la tendresse.*

10 *Les plaisirs les plus charmants,*
> *Sans l'amoureuse flamme*[1]*,*
> *Pour contenter une âme*
N'ont point d'attraits assez puissants.
> *Profitez du printemps*
15 > *De vos beaux ans,*
> *Aimable jeunesse ;*
> *Profitez du printemps*
> *De vos beaux ans,*
> *Donnez-vous à la tendresse.*

Note

1. **l'amoureuse flamme :** la passion amoureuse.

20

Ne perdez point ces précieux moments :
    La beauté passe,
    Le temps l'efface,
    L'âge de glace
    Vient à sa place,
Qui nous ôte le goût de ces doux passe-temps.

    Profitez du printemps
    De vos beaux ans,
    Aimable jeunesse ;
    Profitez du printemps
    De vos beaux ans,
    Donnez-vous à la tendresse.

SECONDE FEMME MORE
    Quand d'aimer on nous presse
    À quoi songez-vous ?
    Nos cœurs, dans la jeunesse,
    N'ont vers la tendresse
    Qu'un penchant trop doux ;
    L'amour a pour nous prendre
    De si doux attraits,
    Que de soi, sans attendre,
    On voudrait se rendre
    À ses premiers traits[1] :
    Mais tout ce qu'on écoute
    Des vives douleurs
    Et des pleurs
    Qu'il nous coûte
    Fait qu'on en redoute
    Toutes les douceurs.

Note

1. traits : flèches décochées par Cupidon pour rendre les cœurs amoureux.

TROISIÈME FEMME MORE

> *Il est doux, à notre âge,*
> *D'aimer tendrement*
> *Un amant*
> *Qui s'engage :*
> *Mais s'il est volage[1],*
> *Hélas ! quel tourment !*

QUATRIÈME FEMME MORE

> *L'amant qui se dégage[2]*
> *N'est pas le malheur :*
> *La douleur*
> *Et la rage,*
> *C'est que le volage*
> *Garde notre cœur.*

SECONDE FEMME MORE

> *Quel parti faut-il prendre*
> *Pour nos jeunes cœurs ?*

QUATRIÈME FEMME MORE

> *Devons-nous nous y rendre*
> *Malgré ses rigueurs[3] ?*

ENSEMBLE

> *Oui, suivons ses ardeurs,*
> *Ses transports, ses caprices,*
> *Ses douces langueurs ;*
> *S'il a quelques supplices,*

Notes

1. volage : infidèle.
2. l'amant qui se dégage : l'amant qui rompt.

3. ses rigueurs : ses cruautés.

Il a cent délices
Qui charment les cœurs.

ENTRÉE DE BALLET

70 Tous les Mores dansent ensemble, et font sauter des singes qu'ils
ont amenés avec eux.

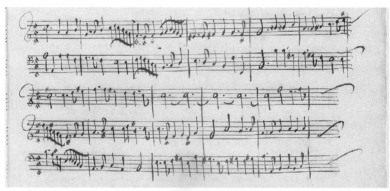

Extrait du manuscrit autographe de Marc-Antoine Charpentier.

Acte III

SCÈNE 1

BÉRALDE, ARGAN, TOINETTE

1 BÉRALDE – Eh bien! mon frère, qu'en dites-vous? cela ne vaut-il pas une prise de casse[1]?

TOINETTE – Hom, de bonne casse est bonne.

BÉRALDE – Oh çà! voulez-vous que nous parlions un peu
5 ensemble?

ARGAN – Un peu de patience, mon frère, je vais revenir.

TOINETTE – Tenez, monsieur, vous ne songez pas que vous ne sauriez marcher sans bâton.

ARGAN – Tu as raison.

SCÈNE 2

BÉRALDE, TOINETTE

10 TOINETTE – N'abandonnez pas, s'il vous plaît, les intérêts de votre nièce.

BÉRALDE – J'emploierai toutes choses pour lui obtenir ce qu'elle souhaite.

_{Note} **1. prise de casse** : prise d'un remède purgatif fabriqué à partir d'un végétal exotique.

TOINETTE – Il faut absolument empêcher ce mariage extra-
vagant qu'il s'est mis dans la fantaisie[1], et j'avais songé en
moi-même que ç'aurait été une bonne affaire de pouvoir
introduire ici un médecin à notre poste[2], pour le dégoûter
de son monsieur Purgon, et lui décrier[3] sa conduite. Mais,
comme nous n'avons personne en main pour cela, j'ai résolu
de jouer un tour de ma tête.

BÉRALDE – Comment ?

TOINETTE – C'est une imagination burlesque[4]. Cela sera peut-
être plus heureux que sage. Laissez-moi faire : agissez de votre
côté. Voici notre homme.

SCÈNE 3

ARGAN, BÉRALDE

BÉRALDE – Vous voulez bien, mon frère, que je vous demande,
avant toute chose, de ne vous point échauffer l'esprit dans
notre conversation.

ARGAN – Voilà qui est fait.

BÉRALDE – De répondre sans nulle aigreur[5] aux choses que je
pourrai vous dire.

ARGAN – Oui.

BÉRALDE – Et de raisonner ensemble, sur les affaires dont nous
avons à parler, avec un esprit détaché de toute passion.

ARGAN – Mon Dieu ! oui. Voilà bien du préambule[6].

BÉRALDE – D'où vient, mon frère, qu'ayant le bien que vous
avez, et n'ayant d'enfants qu'une fille, car je ne compte pas la

---

Notes

1. qu'il s'est mis dans la fantaisie : qu'il
s'est imaginé.
2. à notre poste : pour nous servir.
3. décrier : critiquer.

4. burlesque : comique.
5. sans nulle aigreur : sans se fâcher.
6. voilà bien du préambule : voilà bien un
long discours.

petite, d'où vient, dis-je, que vous parlez de la mettre dans un couvent ?

ARGAN – D'où vient, mon frère, que je suis maître dans ma
famille pour faire ce que bon me semble ?

BÉRALDE – Votre femme ne manque pas de vous conseiller de vous défaire[1] ainsi de vos deux filles, et je ne doute point que, par un esprit de charité, elle ne fût ravie de les voir toutes deux bonnes religieuses.

ARGAN – Oh çà ! nous y voici. Voilà d'abord la pauvre femme en jeu[2] : c'est elle qui fait tout le mal, et tout le monde lui en veut.

BÉRALDE – Non, mon frère ; laissons-la là ; c'est une femme qui a les meilleures intentions du monde pour votre famille, et
qui est détachée de toute sorte d'intérêt, qui a pour vous une tendresse merveilleuse, et qui montre pour vos enfants une affection et une bonté qui n'est pas concevable[3] : cela est certain. N'en parlons point, et revenons à votre fille. Sur quelle pensée, mon frère, la voulez-vous donner en mariage au fils
d'un médecin ?

ARGAN – Sur la pensée, mon frère, de me donner un gendre tel qu'il me faut.

BÉRALDE – Ce n'est point là, mon frère, le fait de votre fille[4], et il se présente un parti plus sortable[5] pour elle.

ARGAN – Oui, mais celui-ci, mon frère, est plus sortable pour moi.

BÉRALDE – Mais le mari qu'elle doit prendre doit-il être, mon frère, ou pour elle, ou pour vous ?

ARGAN – Il doit être, mon frère, et pour elle, et pour moi, et je
veux mettre dans ma famille les gens dont j'ai besoin.

BÉRALDE – Par cette raison-là, si votre petite était grande, vous lui donneriez en mariage un apothicaire[1]?

ARGAN – Pourquoi non?

BÉRALDE – Est-il possible que vous serez toujours embéguiné[2]
70 de vos apothicaires et de vos médecins, et que vous vouliez être malade en dépit des gens et de la nature?

ARGAN – Comment l'entendez-vous[3], mon frère?

BÉRALDE – J'entends, mon frère, que je ne vois point d'homme qui soit moins malade que vous, et que je ne demanderais
75 point une meilleure constitution que la vôtre. Une grande marque que vous vous portez bien et que vous avez un corps parfaitement bien composé[4], c'est qu'avec tous les soins que vous avez pris, vous n'avez pu parvenir encore à gâter la bonté de votre tempérament[5], et que vous n'êtes point crevé de
80 toutes les médecines qu'on vous a fait prendre.

ARGAN – Mais savez-vous, mon frère, que c'est cela qui me conserve, et que monsieur Purgon dit que je succomberais, s'il était seulement trois jours sans prendre soin de moi?

BÉRALDE – Si vous n'y prenez garde, il prendra tant de soin de
85 vous qu'il vous enverra en l'autre monde.

ARGAN – Mais raisonnons un peu, mon frère. Vous ne croyez donc point à la médecine?

BÉRALDE – Non, mon frère, et je ne vois pas que, pour son salut, il soit nécessaire d'y croire.

90 ARGAN – Quoi? vous ne tenez pas véritable une chose établie par tout le monde, et que tous les siècles ont révérée[6]?

BÉRALDE – Bien loin de la tenir véritable, je la trouve, entre nous, une des plus grandes folies qui soit parmi les hommes,

---

Notes

1. **un apothicaire** : un pharmacien.
2. **embéguiné** : entiché.
3. **comment l'entendez-vous** : que voulez-vous dire?

4. **bien composé** : de bonne constitution.
5. **la bonté de votre tempérament** : votre bonne santé.
6. **révérée** : honorée, respectée.

et à regarder les choses en philosophe, je ne vois point de
plus plaisante momerie[1], je ne vois rien de plus ridicule qu'un
homme qui se veut mêler d'en guérir un autre.

ARGAN – Pourquoi ne voulez-vous pas, mon frère, qu'un
homme en puisse guérir un autre?

BÉRALDE – Par la raison, mon frère, que les ressorts de notre
machine[2] sont des mystères, jusques ici, où les hommes ne
voient goutte, et que la nature nous a mis au-devant des yeux
des voiles trop épais pour y connaître quelque chose.

ARGAN – Les médecins ne savent donc rien, à votre compte?

BÉRALDE – Si fait, mon frère. Ils savent la plupart de fort belles
humanités[3], savent parler en beau latin, savent nommer en
grec toutes les maladies, les définir et les diviser; mais, pour
ce qui est de les guérir, c'est ce qu'ils ne savent point du tout.

ARGAN – Mais toujours faut-il demeurer d'accord que, sur cette
matière, les médecins en savent plus que les autres.

BÉRALDE – Ils savent, mon frère, ce que je vous ai dit, qui ne
guérit pas de grand-chose; et toute l'excellence de leur art
consiste en un pompeux galimatias[4], en un spécieux babil[5],
qui vous donne des mots pour des raisons, et des promesses
pour des effets.

ARGAN – Mais enfin, mon frère, il y a des gens aussi sages et
aussi habiles que vous; et nous voyons que, dans la maladie,
tout le monde a recours aux médecins.

BÉRALDE – C'est une marque de la faiblesse humaine, et non
pas de la vérité de leur art.

Notes

1. **momerie** : farce divertissante avec des masques ; hypocrisie.
2. **notre machine** : notre corps.
3. **humanités** : études littéraires (grammaire, rhétorique, poésie).
4. **pompeux galimatias** : discours prétentieux et confus.
5. **spécieux babil** : bavardage futile mais de belle apparence.

120 ARGAN – Mais il faut bien que les médecins croient leur art véritable, puisqu'ils s'en servent pour eux-mêmes.

BÉRALDE – C'est qu'il y en a parmi eux qui sont eux-mêmes dans l'erreur populaire, dont ils profitent, et d'autres qui en profitent sans y être. Votre monsieur Purgon, par exemple, n'y
125 sait point de finesse[1] : c'est un homme tout médecin, depuis la tête jusqu'aux pieds ; un homme qui croit à ses règles plus qu'à toutes les démonstrations des mathématiques, et qui croirait du crime à les vouloir examiner ; qui ne voit rien d'obscur dans la médecine, rien de douteux, rien de difficile, et qui, avec une
130 impétuosité de prévention[2], une raideur de confiance, une brutalité de sens commun et de raison[3], donne au travers[4] des purgations et des saignées, et ne balance[5] aucune chose. Il ne lui faut point vouloir mal de tout ce qu'il pourra vous faire : c'est de la meilleure foi du monde qu'il vous expédiera[6], et il
135 ne fera, en vous tuant, que ce qu'il a fait à sa femme et à ses enfants, et ce qu'en un besoin il ferait à lui-même.

ARGAN – C'est que vous avez, mon frère, une dent de lait contre lui[7]. Mais enfin venons au fait. Que faire donc quand on est malade ?

140 BÉRALDE – Rien, mon frère.

ARGAN – Rien ?

BÉRALDE – Rien. Il ne faut que demeurer en repos. La nature, d'elle-même, quand nous la laissons faire, se tire doucement du désordre où elle est tombée. C'est notre inquiétude, c'est

Notes

1. **n'y sait point de finesse** : est sincère.
2. **une impétuosité de prévention** : beaucoup de préjugés.
3. **une raideur de confiance, une brutalité de sens commun et de raison** : un manque de discernement.
4. **donne au travers** : se jette de manière irréfléchie.
5. **ne balance** : n'examine.
6. **expédiera (dans l'autre monde)** : tuera.
7. **vous avez une dent de lait contre lui** : vous lui en voulez.

145 notre impatience qui gâte tout, et presque tous les hommes
meurent de leurs remèdes, et non pas de leurs maladies.

ARGAN – Mais il faut demeurer d'accord, mon frère, qu'on peut
aider cette nature par de certaines choses.

BÉRALDE – Mon Dieu! mon frère, ce sont pures idées, dont
150 nous aimons à nous repaître[1]; et, de tout temps, il s'est glissé
parmi les hommes de belles imaginations, que nous venons
à croire, parce qu'elles nous flattent et qu'il serait à souhaiter qu'elles fussent véritables. Lorsqu'un médecin vous parle
d'aider, de secourir, de soulager la nature, de lui ôter ce qui
155 lui nuit et lui donner ce qui lui manque, de la rétablir et de
la remettre dans une pleine facilité de ses fonctions; lorsqu'il
vous parle de rectifier le sang, de tempérer les entrailles et le
cerveau, de dégonfler la rate, de raccommoder la poitrine, de
réparer le foie, de fortifier le cœur, de rétablir et conserver la
160 chaleur naturelle, et d'avoir des secrets pour étendre la vie à
de longues années : il vous dit justement le roman de la médecine. Mais quand vous en venez à la vérité et à l'expérience,
vous ne trouvez rien de tout cela, et il en est comme de ces
beaux songes qui ne vous laissent au réveil que le déplaisir de
165 les avoir crus.

ARGAN – C'est-à-dire que toute la science du monde est renfer-
mée dans votre tête, et vous voulez en savoir plus que tous les
grands médecins de notre siècle.

BÉRALDE – Dans les discours et dans les choses, ce sont deux
170 sortes de personnes que vos grands médecins. Entendez-les
parler : les plus habiles gens du monde; voyez-les faire, les plus
ignorants de tous les hommes.

Note

1. repaître : délecter, savourer.

ARGAN – Ouais! Vous êtes un grand docteur, à ce que je vois, et je voudrais bien qu'il y eût ici quelqu'un de ces messieurs
175 pour rembarrer[1] vos raisonnements et rabaisser votre caquet[2].

BÉRALDE – Moi, mon frère, je ne prends point à tâche de combattre la médecine; et chacun, à ses périls et fortune[3], peut croire tout ce qu'il lui plaît. Ce que j'en dis n'est qu'entre nous, et j'aurais souhaité de pouvoir un peu vous tirer de l'er-
180 reur où vous êtes, et, pour vous divertir, vous mener voir sur ce chapitre quelqu'une des comédies de Molière.

ARGAN – C'est un bon impertinent que votre Molière avec ses comédies, et je le trouve bien plaisant d'aller jouer d'honnêtes gens comme les médecins.

185 BÉRALDE – Ce ne sont point les médecins qu'il joue, mais le ridicule de la médecine.

ARGAN – C'est bien à lui de se mêler de contrôler la médecine; voilà un bon nigaud, un bon impertinent, de se moquer des consultations et des ordonnances, de s'attaquer au corps
190 des médecins, et d'aller mettre sur son théâtre des personnes vénérables[4] comme ces messieurs-là.

BÉRALDE – Que voulez-vous qu'il y mette que les diverses professions des hommes? On y met bien tous les jours les princes et les rois, qui sont d'aussi bonne maison que les médecins.

195 ARGAN – Par la mort non de diable! si j'étais que des médecins, je me vengerais de son impertinence; et quand il sera malade, je le laisserais mourir sans secours. Il aurait beau faire et beau dire, je ne lui ordonnerais pas la moindre petite saignée, le moindre petit lavement, et je lui dirais : «Crève, crève! cela
200 t'apprendra une autre fois à te jouer à[5] la Faculté.»

BÉRALDE – Vous voilà bien en colère contre lui.

ARGAN – Oui, c'est un malavisé[1], et si les médecins sont sages, ils feront ce que je dis.

BÉRALDE – Il sera encore plus sage que vos médecins, car il ne
205   leur demandera point de secours.

ARGAN – Tant pis pour lui s'il n'a point recours aux remèdes.

BÉRALDE – Il a ses raisons pour n'en point vouloir, et il soutient que cela n'est permis qu'aux gens vigoureux et robustes, et qui ont des forces de reste pour porter[2] les remèdes avec la
210   maladie ; mais que, pour lui, il n'a justement de la force que pour porter son mal.

ARGAN – Les sottes raisons que voilà ! Tenez, mon frère, ne parlons point de cet homme-là davantage, car cela m'échauffe la bile, et vous me donneriez mon mal.

215 BÉRALDE – Je le veux bien, mon frère ; et, pour changer de discours, je vous dirai que, sur une petite répugnance[3] que vous témoigne votre fille, vous ne devez point prendre les résolutions violentes de la mettre dans un couvent ; que, pour le choix d'un gendre, il ne vous faut pas suivre aveuglément
220   la passion qui vous emporte, et qu'on doit, sur cette matière, s'accommoder un peu[4] à l'inclination d'une fille, puisque c'est pour toute la vie, et que de là dépend tout le bonheur d'un mariage.

Notes

1. **malavisé** : sot.
2. **porter** : supporter.
3. **une petite répugnance** : un désaccord, un rejet.

4. **s'accomoder un peu** : s'adapter, se conformer.

Au fil du texte

QUE S'EST-IL PASSÉ ENTRE-TEMPS ?

1 Qui est Béralde ?

2 Que propose-t-il pour Angélique à la scène 9 de l'acte II ?

3 Quel stratagème* Toinette prépare-t-elle à la scène 2 de l'acte III ?

> *** stratagème :** ruse habile.

AVEZ-VOUS BIEN LU ?

4 Quels sont les points de vue, d'une part de Béralde et d'autre part d'Argan, à propos :

a) du mariage d'Angélique ?

b) des médecins ?

c) des comédies de Molière ?

5 Que peut-on constater sur les points de vue de ces deux personnages ?

6 Quel personnage, selon vous, exprime les idées de Molière ?

ÉTUDIER LES PAROLES
DES PERSONNAGES

7 Relevez, pour chacun des trois sujets de discussion, les arguments développés par les deux personnages tout au long de cette scène.

8 Pourquoi peut-on dire que ces trois sujets sont indissociables dans la pièce ?

ÉTUDIER LA GRAMMAIRE

9 Dans la réplique d'Argan (lignes 195 à 200), relevez les verbes conjugués au conditionnel.

10 Justifiez l'emploi de ce mode.

11 Sachant que Molière a écrit cette pièce et joué le rôle d'Argan alors qu'il était malade, à votre avis, quels effets a produit cette réplique sur les spectateurs de l'époque ?

À VOS PLUMES !

12 À votre tour, rédigez un texte commençant par *« Si j'étais »* et se poursuivant avec l'emploi du conditionnel.

LIRE L'IMAGE

13 Décrivez le costume de ce médecin.

14 Lisez la légende de l'image puis justifiez cette façon de s'habiller.

15 Qu'en déduisez-vous quant au rôle des médecins ?

Costume des médecins employés lors de la Peste de Marseille en 1720 (aquarelle de l'époque).

SCÈNE 4

MONSIEUR FLEURANT *(une seringue à la main)*, ARGAN, BÉRALDE

ARGAN – Ah! mon frère, avec votre permission.

225 BÉRALDE – Comment? que voulez-vous faire?

ARGAN – Prendre ce petit lavement-là; ce sera bientôt fait.

BÉRALDE – Vous vous moquez. Est-ce que vous ne sauriez être un moment sans lavement ou sans médecine? Remettez cela à une autre fois, et demeurez un peu en repos.

230 ARGAN – Monsieur Fleurant, à ce soir, ou à demain au matin.

MONSIEUR FLEURANT, *à Béralde* – De quoi vous mêlez-vous de vous opposer aux ordonnances de la médecine, et d'empêcher monsieur de prendre mon clystère? Vous êtes bien plaisant d'avoir cette hardiesse-là!

235 BÉRALDE – Allez, monsieur, on voit bien que vous n'avez pas accoutumé[1] de parler à des visages.

MONSIEUR FLEURANT – On ne doit point ainsi se jouer[2] des remèdes, et me faire perdre mon temps. Je ne suis venu ici que sur une bonne ordonnance, et je vais dire à monsieur Purgon
240 comme on m'a empêché d'exécuter ses ordres et de faire ma fonction. Vous verrez, vous verrez…

ARGAN – Mon frère, vous serez cause ici de quelque malheur.

BÉRALDE – Le grand malheur de ne pas prendre un lavement que monsieur Purgon a ordonné. Encore un coup, mon frère,
245 est-il possible qu'il n'y ait pas moyen de vous guérir de la maladie des médecins, et que vous vouliez être, toute votre vie, enseveli dans leurs remèdes?

ARGAN – Mon Dieu! mon frère, vous en parlez comme un homme qui se porte bien; mais, si vous étiez à ma place,

---

Notes

1. vous n'avez pas accoutumé : vous n'avez pas l'habitude.

2. se jouer de : se moquer de.

250 vous changeriez bien de langage. Il est aisé de parler contre la médecine quand on est en pleine santé.

BÉRALDE – Mais quel mal avez-vous?

ARGAN – Vous me feriez enrager. Je voudrais que vous l'eussiez mon mal, pour voir si vous jaseriez[1] tant. Ah! voici monsieur
255 Purgon.

SCÈNE 5

MONSIEUR PURGON, ARGAN, BÉRALDE, TOINETTE

MONSIEUR PURGON – Je viens d'apprendre là-bas, à la porte, de jolies nouvelles : qu'on se moque ici de mes ordonnances, et qu'on a fait refus de prendre le remède que j'avais prescrit.

ARGAN – Monsieur, ce n'est pas…

260 MONSIEUR PURGON – Voilà une hardiesse bien grande, une étrange rébellion d'un malade contre son médecin.

TOINETTE – Cela est épouvantable.

MONSIEUR PURGON – Un clystère que j'avais pris plaisir à composer moi-même.

265 ARGAN – Ce n'est pas moi…

MONSIEUR PURGON – Inventé et formé dans toutes les règles de l'art.

TOINETTE – Il a tort.

MONSIEUR PURGON – Et qui devait faire dans des entrailles un
270 effet merveilleux.

ARGAN – Mon frère?

MONSIEUR PURGON – Le renvoyer avec mépris!

ARGAN – C'est lui…

Note 1. **jaser** : bavarder, médire.

MONSIEUR PURGON – C'est une action exorbitante[1].

275 TOINETTE – Cela est vrai.

MONSIEUR PURGON – Un attentat énorme contre la médecine.

ARGAN – Il est cause...

MONSIEUR PURGON – Un crime de lèse-Faculté[2], qui ne se peut assez punir.

280 TOINETTE – Vous avez raison.

MONSIEUR PURGON – Je vous déclare que je romps commerce[3] avec vous.

ARGAN – C'est mon frère...

MONSIEUR PURGON – Que je ne veux plus d'alliance avec vous.

285 TOINETTE – Vous ferez bien.

MONSIEUR PURGON – Et que, pour finir toute liaison avec vous, voilà la donation[4] que je faisais à mon neveu, en faveur du mariage. *(Il déchire violemment la donation.)*

ARGAN – C'est mon frère qui a fait tout le mal.

290 MONSIEUR PURGON – Mépriser mon clystère !

ARGAN – Faites-le venir, je m'en vais le prendre.

MONSIEUR PURGON – Je vous aurais tiré d'affaire avant qu'il fût peu.

TOINETTE – Il ne le mérite pas.

295 MONSIEUR PURGON – J'allais nettoyer votre corps et en évacuer entièrement les mauvaises humeurs.

ARGAN – Ah, mon frère !

Notes

1. **action exorbitante** : qui est contraire au droit.
2. **lèse-Faculté** : (jeu de mots à partir de « lèse-majesté ») qui porte atteinte à la Faculté.
3. **je romps commerce** : je mets un terme à mes relations médecin/client.
4. **donation** : contrat par lequel on fait un don.

MONSIEUR PURGON – Et je ne voulais plus qu'une douzaine de médecines, pour vider le fond du sac[1].

300 TOINETTE – Il est indigne de vos soins.

MONSIEUR PURGON – Mais puisque vous n'avez pas voulu guérir par mes mains.

ARGAN – Ce n'est pas ma faute.

MONSIEUR PURGON – Puisque vous vous êtes soustrait de
305 l'obéissance que l'on doit à son médecin.

TOINETTE – Cela crie vengeance.

MONSIEUR PURGON – Puisque vous vous êtes déclaré rebelle aux remèdes que je vous ordonnais…

ARGAN – Hé! point du tout.

310 MONSIEUR PURGON – J'ai à vous dire que je vous abandonne à votre mauvaise constitution, à l'intempérie de vos entrailles, à la corruption de votre sang, à l'âcreté de votre bile et à la féculence[2] de vos humeurs.

TOINETTE – C'est fort bien fait.

315 ARGAN – Mon Dieu!

MONSIEUR PURGON – Et je veux qu'avant qu'il soit quatre jours vous deveniez dans un état incurable[3].

ARGAN – Ah! miséricorde!

MONSIEUR PURGON – Que vous tombiez dans la bradypepsie[4].

320 ARGAN – Monsieur Purgon!

MONSIEUR PURGON – De la bradypepsie dans la dyspepsie[5].

ARGAN – Monsieur Purgon!

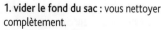

Notes

1. **vider le fond du sac** : vous nettoyer complètement.
2. **la féculence** : l'impureté.
3. **incurable** : dont on ne peut guérir.
4. **bradypepsie** : lenteur de digestion.
5. **dyspepsie** : mauvaise digestion.

MONSIEUR PURGON – De la dyspepsie dans l'apepsie[1].

ARGAN – Monsieur Purgon!

325 MONSIEUR PURGON – De l'apepsie dans la lienterie[2]…

ARGAN – Monsieur Purgon!

MONSIEUR PURGON – De la lienterie dans la dysenterie[3]…

ARGAN – Monsieur Purgon!

MONSIEUR PURGON – De la dysenterie dans l'hydropisie[4]…

330 ARGAN – Monsieur Purgon!

MONSIEUR PURGON – Et de l'hydropisie dans la privation de la vie, où vous aura conduit votre folie.

SCÈNE 6

ARGAN, BÉRALDE

ARGAN – Ah, mon Dieu! je suis mort. Mon frère, vous m'avez perdu.

335 BÉRALDE – Quoi? qu'y a-t-il?

ARGAN – Je n'en puis plus. Je sens déjà que la médecine se venge.

BÉRALDE – Ma foi! mon frère, vous êtes fou, et je ne voudrais pas, pour beaucoup de choses, qu'on vous vît faire ce que vous faites. Tâtez-vous[5] un peu, je vous prie, revenez à vous-

340 même, et ne donnez point tant à votre imagination.

ARGAN – Vous voyez, mon frère, les étranges maladies dont il m'a menacé.

BÉRALDE – Le simple homme que vous êtes!

ARGAN – Il dit que je deviendrai incurable avant qu'il soit

345 quatre jours.

Notes

1. **apepsie** : absence de digestion.
2. **lienterie** : diarrhée.
3. **dysenterie** : diarrhée mortelle.
4. **hydropisie** : accumulation d'eau.
5. **tâtez-vous** : réfléchissez.

BÉRALDE – Et ce qu'il dit, que fait-il à la chose ? Est-ce un oracle[1] qui a parlé ? Il semble, à vous entendre, que monsieur Purgon tienne dans sa main le filet[2] de vos jours, et que, d'autorité suprême, il vous l'allonge et vous le raccourcisse comme il lui plaît. Songez que les principes de votre vie sont en vous-même, et que le courroux[3] de monsieur Purgon est aussi peu capable de vous faire mourir que ses remèdes de vous faire vivre. Voici une aventure, si vous voulez, à vous défaire des médecins, ou, si vous êtes né à ne pouvoir vous en passer, il est aisé d'en avoir un autre, avec lequel, mon frère, vous puissiez courir un peu moins de risque.

ARGAN – Ah ! mon frère, il sait tout mon tempérament et la manière dont il faut me gouverner[4].

BÉRALDE – Il faut vous avouer que vous êtes un homme d'une grande prévention[5], et que vous voyez les choses avec d'étranges yeux.

SCÈNE 7

TOINETTE, ARGAN, BÉRALDE

TOINETTE – Monsieur, voilà un médecin qui demande à vous voir.

ARGAN – Et quel médecin ?

TOINETTE – Un médecin de la médecine.

ARGAN – Je te demande qui il est ?

TOINETTE – Je ne le connais pas ; mais il me ressemble comme deux gouttes d'eau, et si je n'étais sûre que ma mère était hon-

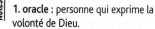

Notes

1. **oracle** : personne qui exprime la volonté de Dieu.
2. **le filet** : image du cours de la vie.
3. **le courroux** : la colère.

4. **me gouverner** : me soigner.
5. **d'une grande prévention** : avec beaucoup de préjugés.

nête femme, je dirais que ce serait quelque petit frère qu'elle
370 m'aurait donné depuis le trépas[1] de mon père.

ARGAN – Fais-le venir.

BÉRALDE – Vous êtes servi à souhait : un médecin vous quitte,
un autre se présente.

ARGAN – J'ai bien peur que vous ne soyez cause de quelque
375 malheur.

BÉRALDE – Encore ! vous en revenez toujours là ?

ARGAN – Voyez-vous ? j'ai sur le cœur toutes ces maladies-là
que je ne connais point, ces…

SCÈNE 8

TOINETTE *(en médecin)*, ARGAN, BÉRALDE

TOINETTE – Monsieur, agréez que je vienne vous rendre visite
380 et vous offrir mes petits services pour toutes les saignées et les
purgations dont vous aurez besoin.

ARGAN – Monsieur, je vous suis fort obligé[2]. Par ma foi ! voilà
Toinette elle-même.

TOINETTE – Monsieur, je vous prie de m'excuser, j'ai oublié de
385 donner une commission à mon valet ; je reviens tout à l'heure.

ARGAN – Eh ! ne diriez-vous pas que c'est effectivement Toinette ?

BÉRALDE – Il est vrai que la ressemblance est tout à fait grande.
Mais ce n'est pas la première fois qu'on a vu de ces sortes de
390 choses, et les histoires ne sont pleines que de ces jeux de la
nature.

ARGAN – Pour moi, j'en suis surpris, et…

---

1. **le trépas :** la mort.　　　　　2. **je vous suis fort obligé :** je vous suis
très reconnaissant.

SCÈNE 9

TOINETTE, ARGAN, BÉRALDE

TOINETTE *quitte son habit de médecin si promptement*[1] *qu'il est difficile de croire que ce soit elle qui a paru en médecin* – Que voulez-vous, monsieur?

395

ARGAN – Comment?

TOINETTE – Ne m'avez-vous pas appelée?

ARGAN – Moi? non.

TOINETTE – Il faut donc que les oreilles m'aient corné[2].

400 ARGAN – Demeure un peu ici pour voir comme ce médecin te ressemble.

TOINETTE, *en sortant, dit* – Oui, vraiment, j'ai affaire là-bas, et je l'ai assez vu.

ARGAN – Si je ne les voyais tous deux, je croirais que ce n'est qu'un.

405

BÉRALDE – J'ai lu des choses surprenantes de ces sortes de ressemblances, et nous en avons vu de notre temps où tout le monde s'est trompé.

ARGAN – Pour moi, j'aurais été trompé à celle-là, et j'aurais juré que c'est la même personne.

410

SCÈNE 10

TOINETTE *(en médecin)*, ARGAN, BÉRALDE

TOINETTE – Monsieur, je vous demande pardon de tout mon cœur.

ARGAN – Cela est admirable!

Notes

1. **si promptement :** si rapidement.   2. **corné :** fait entendre des voix.

TOINETTE – Vous ne trouverez pas mauvais, s'il vous plaît, la
curiosité que j'ai eue de voir un illustre malade comme vous
êtes ; et votre réputation, qui s'étend partout, peut excuser la
liberté que j'ai prise.

ARGAN – Monsieur, je suis votre serviteur.

TOINETTE – Je vois, monsieur, que vous me regardez fixement.
Quel âge croyez-vous bien que j'aie ?

ARGAN – Je crois que tout au plus vous pouvez avoir vingt-six
ou vingt-sept ans.

TOINETTE – Ah, ah, ah, ah, ah ! j'en ai quatre-vingt-dix.

ARGAN – Quatre-vingt-dix ?

TOINETTE – Oui. Vous voyez un effet des secrets de mon art, de
me conserver ainsi frais et vigoureux.

ARGAN – Par ma foi ! voilà un beau jeune vieillard pour quatre-
vingt-dix ans.

TOINETTE – Je suis médecin passager[1], qui vais de ville en ville,
de province en province, de royaume en royaume, pour
chercher d'illustres matières à ma capacité, pour trouver des
malades dignes de m'occuper, capables d'exercer les grands et
beaux secrets que j'ai trouvés dans la médecine. Je dédaigne
de m'amuser à ce menu fatras[2] de maladies ordinaires, à ces
bagatelles de rhumatismes et de fluxions[3], à ces fiévrottes[4], à
ces vapeurs[5], et à ces migraines. Je veux des maladies d'importance : de bonnes fièvres continues avec des transports au
cerveau, de bonnes fièvres pourprées[6], de bonnes pestes, de
bonnes hydropisies formées, de bonnes pleurésies[7] avec des
inflammations de poitrine : c'est là que je me plais, c'est là que
je triomphe ; et je voudrais, monsieur, que vous eussiez toutes

---

Notes

1. **médecin passager** : médecin ambulant.
2. **fatras** : ensemble confus.
3. **fluxions** : afflux de liquide.
4. **fiévrottes** : fièvres légères.
5. **vapeurs** : légers troubles.
6. **pourprées** : accompagnées de taches rouges.
7. **pleurésies** : inflammations du poumon.

les maladies que je viens de dire, que vous fussiez abandonné de tous les médecins, désespéré, à l'agonie, pour vous montrer l'excellence de mes remèdes, et l'envie que j'aurais de vous
445 rendre service.

ARGAN – Je vous suis obligé, monsieur, des bontés que vous avez pour moi.

TOINETTE – Donnez-moi votre pouls. Allons donc, que l'on batte comme il faut. Ah! je vous ferai bien aller comme vous
450 devez. Ouais! ce pouls-là fait l'impertinent : je vois bien que vous ne me connaissez pas encore. Qui est votre médecin?

ARGAN – Monsieur Purgon.

TOINETTE – Cet homme-là n'est point écrit sur mes tablettes entre[1] les grands médecins. De quoi dit-il que vous êtes
455 malade?

ARGAN – Il dit que c'est du foie, et d'autres disent que c'est de la rate.

TOINETTE – Ce sont tous des ignorants : c'est du poumon que vous êtes malade.

460 ARGAN – Du poumon?

TOINETTE – Oui. Que sentez-vous?

ARGAN – Je sens de temps en temps des douleurs de tête.

TOINETTE – Justement, le poumon.

ARGAN – Il me semble parfois que j'ai un voile devant les yeux.

465 TOINETTE – Le poumon.

ARGAN – J'ai quelquefois des maux de cœur.

TOINETTE – Le poumon.

ARGAN – Je sens parfois des lassitudes par tous les membres.

TOINETTE – Le poumon.

Note
1. entre : parmi.

470 ARGAN – Et quelquefois il me prend des douleurs dans le ventre, comme si c'était des coliques.

TOINETTE – Le poumon. Vous avez appétit à ce que vous mangez ?

ARGAN – Oui, monsieur.

475 TOINETTE – Le poumon. Vous aimez à boire un peu de vin ?

ARGAN – Oui, monsieur.

TOINETTE – Le poumon. Il vous prend un petit sommeil après le repas et vous êtes bien aise de dormir ?

ARGAN – Oui, monsieur.

480 TOINETTE – Le poumon, le poumon, vous dis-je. Que vous ordonne votre médecin pour votre nourriture ?

ARGAN – Il m'ordonne du potage.

TOINETTE – Ignorant.

ARGAN – De la volaille.

485 TOINETTE – Ignorant.

ARGAN – Du veau.

TOINETTE – Ignorant.

ARGAN – Des bouillons.

TOINETTE – Ignorant.

490 ARGAN – Des œufs frais.

TOINETTE – Ignorant.

ARGAN – Et le soir de petits pruneaux pour lâcher le ventre.

TOINETTE – Ignorant.

ARGAN – Et surtout de boire mon vin fort trempé[1].

Note

1. vin fort trempé : vin avec beaucoup d'eau.

495 TOINETTE – *Ignorantus, ignoranta, ignorantum*[1]. Il faut boire votre vin pur ; et pour épaissir votre sang qui est trop subtil[2], il faut manger du bon gros bœuf, de bon gros porc, de bon fromage de Hollande, du gruau[3] et du riz, et des marrons et des oublies[4], pour coller et conglutiner[5]. Votre médecin est une
500 bête. Je veux vous en envoyer un de ma main, et je viendrai vous voir de temps en temps, tandis que je serai en cette ville.

ARGAN – Vous m'obligez beaucoup.

TOINETTE – Que diantre faites-vous de ce bras-là ?

ARGAN – Comment ?

505 TOINETTE – Voilà un bras que je me ferais couper tout à l'heure, si j'étais que de vous.

ARGAN – Et pourquoi ?

TOINETTE – Ne voyez-vous pas qu'il tire à soi toute la nourriture, et qu'il empêche ce côté-là de profiter ?

510 ARGAN – Oui ; mais j'ai besoin de mon bras.

TOINETTE – Vous avez là aussi un œil droit que je me ferais crever, si j'étais en votre place.

ARGAN – Crever un œil ?

TOINETTE – Ne voyez-vous pas qu'il incommode[6] l'autre, et lui
515 dérobe[7] sa nourriture ? Croyez-moi, faites-vous le crever au plus tôt, vous en verrez plus clair de l'œil gauche.

ARGAN – Cela n'est pas pressé.

TOINETTE – Adieu. Je suis fâché de vous quitter si tôt ; mais il faut que je me trouve à une grande consultation qui se doit
520 faire pour un homme qui mourut hier.

Notes

1. *ignorantus, ignoranta, ignorantum* : ignorant (adjectif latinisé au nominatif masculin, féminin et neutre).
2. **subtil** : fluide.
3. **gruau** : grain d'avoine.
4. **oublies** : sortes de gaufres roulées.
5. **conglutiner** : rendre plus épais.
6. **incommode** : gêne.
7. **dérobe** : vole.

ARGAN – Pour un homme qui mourut hier ?

TOINETTE – Oui, pour aviser[1], et voir ce qu'il aurait fallu lui faire pour le guérir. Jusqu'au revoir.

ARGAN – Vous savez que les malades ne reconduisent[2] point.

525 BÉRALDE – Voilà un médecin vraiment qui paraît fort habile.

ARGAN – Oui, mais il va un peu bien vite.

BÉRALDE – Tous les grands médecins sont comme cela.

ARGAN – Me couper un bras, me crever un œil, afin que l'autre se porte mieux ! J'aime bien mieux qu'il ne se porte pas si
530 bien. La belle opération, de me rendre borgne et manchot !

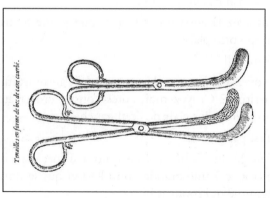

Instruments de chirurgie (extraits des œuvres d'Ambroise Paré).

Au fil du texte

Questions sur l'acte III, scène 10 (pages 131 à 136)

QUE S'EST-IL PASSÉ ENTRE-TEMPS ?

1 Pourquoi M. Purgon est-il en colère à la scène 5 ?

2 Comment Argan réagit-il à cette colère ?

3 Précisez de quelle manière Toinette essaie de rendre crédible son stratagème aux scènes 7, 8 et 9 ?

AVEZ-VOUS BIEN LU ?

4 Sous quelle identité Toinette se présente-t-elle ?

5 Relevez toutes les exagérations dans son discours.

6 Quel est son but ?

7 L'a-t-elle atteint ?

ÉTUDIER LE COMIQUE

> **Les répliques : différents procédés comiques**
>
> - **accumulation :** succession de mots ou d'expressions de même nature grammaticale.
> - **anaphore** : répétition d'un même mot au début de plusieurs phrases.
> - **gradation** : accumulation selon une progression ascendante ou descendante.

8 Parmi les procédés utilisés pour faire rire, citez quelques exemples illustrant l'exagération, l'accumulation, la répétition.

9 Citez d'autres procédés mis en œuvre dans cette scène pour faire rire.

Le comique au théâtre

Au théâtre, on distingue : le **comique de situation** (conflits absurdes, malentendus…), le **comique de gestes** (gestes amusants, exagérés…), le **comique de caractère** (vieillard naïf, valet insolent…) et le **comique de mots** (intonation, faux latin, procédés de style…).

MISE EN SCÈNE

10 Proposez des didascalies pour les lignes 453 à 494 précisant les mouvements, les gestes et le ton des deux personnages.

11 Essayez de jouer cet extrait en tenant compte des didascalies proposées.

ÉTUDIER L'ÉCRITURE DANS LA RÉPLIQUE DE TOINETTE AUX LIGNES 429 À 445

12 Combien de phrases cette réplique compte-t-elle ?

13 Étudiez leur composition.

14 Lisez-les ou récitez-les de façon expressive en respectant le rythme des périodes* et en donnant le ton qui vous semble le plus approprié.

> ** période : groupe d'éléments constitutifs d'une phrase complexe.*

À VOS PLUMES !

15 À votre tour, rédigez un texte de trois phrases constituées de plusieurs périodes et utilisant l'anaphore (*Je suis, Je dédaigne, Je veux*), l'accumulation et la gradation.

ÉTUDIER UN THÈME : LA SATIRE DE LA MÉDECINE

16 Quelles nouvelles critiques Molière adresse-t-il aux médecins par cette scène ?

SCÈNE 11

TOINETTE, ARGAN, BÉRALDE

TOINETTE – Allons, allons, je suis votre servante. Je n'ai pas envie de rire.

ARGAN – Qu'est-ce que c'est?

TOINETTE – Votre médecin, ma foi! qui me voulait tâter le pouls.

ARGAN – Voyez un peu, à l'âge de quatre-vingt-dix ans!

BÉRALDE – Oh çà, mon frère, puisque voilà votre monsieur Purgon brouillé avec vous, ne voulez-vous pas bien que je vous parle du parti qui s'offre pour ma nièce?

ARGAN – Non, mon frère : je veux la mettre dans un couvent, puisqu'elle s'est opposée à mes volontés. Je vois bien qu'il y a quelque amourette là-dessous, et j'ai découvert certaine entrevue secrète, qu'on ne sait pas que j'ai découverte.

BÉRALDE – Eh bien! mon frère, quand il y aurait quelque petite inclination, cela serait-il si criminel, et rien peut-il vous offenser, quand tout ne va qu'à des choses honnêtes comme le mariage?

ARGAN – Quoi qu'il en soit, mon frère, elle sera religieuse; c'est une chose résolue.

BÉRALDE – Vous voulez faire plaisir à quelqu'un.

ARGAN – Je vous entends : vous en revenez toujours là, et ma femme vous tient au cœur.

BÉRALDE – Hé bien! oui, mon frère, puisqu'il faut parler à cœur ouvert, c'est votre femme que je veux dire; et non plus que[1] l'entêtement de la médecine, je ne puis vous souffrir l'entêtement où vous êtes pour elle, et voir que vous donniez tête baissée dans tous les pièges qu'elle vous tend.

---

1. non plus que : pas plus que.

TOINETTE – Ah! monsieur, ne parlez point de madame : c'est une femme sur laquelle il n'y a rien à dire, une femme sans artifice, et qui aime monsieur, qui l'aime… on ne peut pas dire cela.

ARGAN – Demandez-lui un peu les caresses qu'elle me fait.

TOINETTE – Cela est vrai.

ARGAN – L'inquiétude que lui donne ma maladie.

TOINETTE – Assurément.

ARGAN – Et les soins et les peines qu'elle prend autour de moi.

TOINETTE – Il est certain. *(À Béralde.)* Voulez-vous que je vous convainque, et vous fasse voir tout à l'heure comme madame aime monsieur? *(À Argan.)* Monsieur, souffrez que je lui montre son bec jaune[1], et le tire d'erreur.

ARGAN – Comment?

TOINETTE – Madame s'en va revenir. Mettez-vous tout étendu dans cette chaise, et contrefaites le mort. Vous verrez la douleur où elle sera, quand je lui dirai la nouvelle.

ARGAN – Je le veux bien.

TOINETTE – Oui; mais ne la laissez pas longtemps dans le désespoir, car elle en pourrait bien mourir.

ARGAN – Laisse-moi faire.

TOINETTE, *à Béralde* – Cachez-vous, vous, dans ce coin-là.

ARGAN – N'y a-t-il point quelque danger à contrefaire le mort?

TOINETTE – Non, non : quel danger y aurait-il? Étendez-vous là seulement. *(Bas.)* Il y aura plaisir à confondre votre frère. Voici madame. Tenez-vous bien.

Note
1. son bec jaune : son erreur.

Le Malade imaginaire de Molière

SCÈNE 12

BÉLINE, TOINETTE, ARGAN, BÉRALDE

TOINETTE *s'écrie* – Ah, mon Dieu! Ah, malheur! Quel étrange
585 accident!

BÉLINE – Qu'est-ce, Toinette?

TOINETTE – Ah, madame!

BÉLINE – Qu'y a-t-il?

TOINETTE – Votre mari est mort.

590 BÉLINE – Mon mari est mort?

TOINETTE – Hélas! oui. Le pauvre défunt est trépassé.

BÉLINE – Assurément?

TOINETTE – Assurément. Personne ne sait encore cet accident-
là, et je me suis trouvée ici toute seule. Il vient de passer[1] entre
595 mes bras. Tenez, le voilà de tout son long dans cette chaise.

BÉLINE – Le Ciel en soit loué! Me voilà délivrée d'un grand
fardeau. Que tu es sotte, Toinette, de t'affliger[2] de cette mort!

TOINETTE – Je pensais, madame, qu'il fallût pleurer.

BÉLINE – Va, va, cela n'en vaut pas la peine. Quelle perte est-ce
600 que la sienne? et de quoi servait-il sur la terre? Un homme
incommode à tout le monde, malpropre, dégoûtant, sans cesse
un lavement ou une médecine dans le ventre, mouchant,
toussant, crachant toujours, sans esprit, ennuyeux, de mauvaise humeur, fatiguant sans cesse les gens, et grondant jour et
605 nuit servantes et valets.

TOINETTE – Voilà une belle oraison funèbre[3].

BÉLINE – Il faut, Toinette, que tu m'aides à exécuter mon dessein, et tu peux croire qu'en me servant ta récompense est

---

Notes

1. **il vient de passer** : il vient de mourir.
2. **t'affliger** : t'attrister, te peiner.

3. **oraison funèbre** : discours religieux
prononcé lors des obsèques.

sûre. Puisque, par un bonheur, personne n'est encore averti de la chose, portons-le dans son lit, et tenons cette mort cachée, jusqu'à ce que j'aie fait mon affaire. Il y a des papiers, il y a de l'argent dont je me veux saisir, et il n'est pas juste que j'aie passé sans fruit[1] auprès de lui mes plus belles années. Viens, Toinette : prenons auparavant toutes ses clés.

ARGAN, *se levant brusquement* – Doucement.

BÉLINE, *surprise et épouvantée* – Aïe !

ARGAN – Oui, madame ma femme, c'est ainsi que vous m'aimez ?

TOINETTE – Ah, ah ! le défunt n'est pas mort.

ARGAN, *à Béline qui sort* – Je suis bien aise de voir votre amitié, et d'avoir entendu le beau panégyrique[2] que vous avez fait de moi. Voilà un avis au lecteur[3] qui me rendra sage à l'avenir, et qui m'empêchera de faire bien des choses.

BÉRALDE, *sortant de l'endroit où il s'est caché* – Hé bien, mon frère, vous le voyez.

TOINETTE – Par ma foi ! je n'aurais jamais cru cela. Mais j'entends votre fille : remettez-vous comme vous étiez, et voyons de quelle manière elle recevra votre mort. C'est une chose qu'il n'est pas mauvais d'éprouver[4] ; et puisque vous êtes en train, vous connaîtrez par là les sentiments que votre famille a pour vous.

SCÈNE 13

ANGÉLIQUE, ARGAN, TOINETTE, BÉRALDE

TOINETTE *s'écrit* – Ô Ciel! ah, fâcheuse aventure! Malheureuse journée!

ANGÉLIQUE – Qu'as-tu, Toinette, et de quoi pleures-tu?

635 TOINETTE – Hélas! j'ai de tristes nouvelles à vous donner.

ANGÉLIQUE – Hé quoi?

TOINETTE – Votre père est mort.

ANGÉLIQUE – Mon père est mort, Toinette?

TOINETTE – Oui; vous le voyez là. Il vient de mourir tout à
640 l'heure d'une faiblesse qui lui a pris.

ANGÉLIQUE – Ô Ciel! quelle infortune! quelle atteinte cruelle!
Hélas! faut-il que je perde mon père, la seule chose qui me
restait au monde? et qu'encore, pour un surcroît[1] de désespoir, je le perde dans un moment où il était irrité contre moi?
645 Que deviendrai-je, malheureuse, et quelle consolation trouver après une si grande perte?

---

1. **un surcroît** : un supplément, un accroissement.

Gravure anonyme représentant la scène 14 de l'acte III.
À gauche : Béralde et Toinette.
Au centre : Argan contrefaisant le mort. À droite : Angélique
pleurant appuyée au fauteuil de son père et Cléante.

SCÈNE 14

CLÉANTE, ANGÉLIQUE, ARGAN, TOINETTE, BÉRALDE

CLÉANTE – Qu'avez-vous donc, belle Angélique ? et quel malheur pleurez-vous ?

ANGÉLIQUE – Hélas ! je pleure tout ce que dans ma vie je pou-
650 vais perdre de plus cher et de plus précieux : je pleure la mort de mon père.

CLÉANTE – Ô Ciel ! quel accident ! quel coup inopiné[1] ! Hélas ! après la demande que j'avais conjuré[2] votre oncle de lui faire pour moi, je venais me présenter à lui, et tâcher par mes res-
655 pects et par mes prières de disposer son cœur à vous accorder à mes vœux.

ANGÉLIQUE – Ah ! Cléante, ne parlons plus de rien. Laissons là toutes les pensées du mariage. Après la perte de mon père, je ne veux plus être du monde, et j'y renonce pour jamais. Oui,
660 mon père, si j'ai résisté tantôt à vos volontés, je veux suivre du moins une de vos intentions, et réparer par là le chagrin que je m'accuse de vous avoir donné. Souffrez, mon père, que je vous en donne ici ma parole, et que je vous embrasse pour vous témoigner mon ressentiment[3].

665 ARGAN *se lève* – Ah, ma fille !

ANGÉLIQUE, *épouvantée* – Aïe !

ARGAN – Viens. N'aie point de peur, je ne suis pas mort. Va, tu es mon vrai sang, ma véritable fille, et je suis ravi d'avoir vu ton bon naturel.

670 ANGÉLIQUE – Ah ! quelle surprise agréable, mon père ! Puisque par un bonheur extrême le Ciel vous redonne à mes vœux, souffrez qu'ici je me jette à vos pieds pour vous supplier d'une chose. Si vous n'êtes pas favorable au penchant de mon cœur,

---

Notes

1. **inopiné** : imprévu.
2. **conjuré** : supplié.

3. **ressentiment** : reconnaissance.

si vous me refusez Cléante pour époux, je vous conjure au
675   moins de ne me point forcer d'en épouser un autre. C'est
       toute la grâce que je vous demande.

CLÉANTE *se jette à genoux* – Eh! monsieur, laissez-vous toucher à
       ses prières et aux miennes, et ne vous montrez point contraire
       aux mutuels empressements[1] d'une si belle inclination.

680 BÉRALDE – Mon frère, pouvez-vous tenir là contre?

TOINETTE – Monsieur, serez-vous insensible à tant d'amour?

ARGAN – Qu'il se fasse médecin, je consens au mariage. Oui,
       faites-vous médecin, je vous donne ma fille.

CLÉANTE – Très volontiers, monsieur : s'il ne tient qu'à cela pour
685   être votre gendre, je me ferai médecin, apothicaire même, si
       vous voulez. Ce n'est pas une affaire que cela, et je ferais bien
       d'autres choses pour obtenir la belle Angélique.

BÉRALDE – Mais, mon frère, il me vient une pensée : faites-vous
       médecin vous-même. La commodité sera encore plus grande,
690   d'avoir en vous tout ce qu'il vous faut.

TOINETTE – Cela est vrai. Voilà le vrai moyen de vous guérir
       bientôt; et il n'y a point de maladie si osée, que de se jouer à[2]
       la personne d'un médecin.

ARGAN – Je pense, mon frère, que vous vous moquez de moi :
695   est-ce que je suis en âge d'étudier?

BÉRALDE – Bon, étudier! Vous êtes assez savant; et il y en a
       beaucoup parmi eux qui ne sont pas plus habiles que vous.

ARGAN – Mais il faut savoir parler latin, connaître les maladies,
       et les remèdes qu'il y faut faire.

700 BÉRALDE – En recevant la robe et le bonnet de médecin, vous
       apprendrez tout cela, et vous serez après plus habile que vous
       ne voudrez.

Notes

1. **mutuels empressements** : marques
d'affection réciproques.

2. **de se jouer à** : d'affronter, de se frotter.

ARGAN – Quoi ? l'on sait discourir sur les maladies quand on a cet habit-là ?

705 BÉRALDE – Oui. L'on n'a qu'à parler avec une robe et un bonnet, tout galimatias¹ devient savant, et toute sottise devient raison.

TOINETTE – Tenez, monsieur, quand il n'y aurait que votre barbe, c'est déjà beaucoup, et la barbe fait plus de la moitié
710 d'un médecin.

CLÉANTE – En tout cas, je suis prêt à tout.

BÉRALDE – Voulez-vous que l'affaire se fasse tout à l'heure ?

ARGAN – Comment tout à l'heure ?

BÉRALDE – Oui, et dans votre maison.

715 ARGAN – Dans ma maison ?

BÉRALDE – Oui. Je connais une Faculté de mes amies, qui viendra tout à l'heure en faire la cérémonie dans votre salle. Cela ne vous coûtera rien.

ARGAN – Mais, moi, que dire, que répondre ?

720 BÉRALDE – On vous instruira en deux mots, et l'on vous donnera par écrit ce que vous devez dire. Allez-vous-en vous mettre en habit décent, je vais les envoyer quérir².

ARGAN – Allons, voyons cela. *(Il sort.)*

CLÉANTE – Que voulez-vous dire, et qu'entendez-vous avec
725 cette Faculté de vos amies… ?

TOINETTE – Quel est donc votre dessein ?

BÉRALDE – De nous divertir un peu ce soir. Les comédiens ont fait un petit intermède³ de la réception d'un médecin, avec des danses et de la musique ; je veux que nous en prenions

---

Notes

1. **galimatias** : paroles confuses.
2. **envoyer quérir** : envoyer chercher.

3. **intermède** : divertissement.

₇₃₀ ensemble le divertissement, et que mon frère y fasse le pre-
mier personnage.

ANGÉLIQUE – Mais, mon oncle, il me semble que vous vous
jouez[1] un peu beaucoup de mon père.

BÉRALDE – Mais, ma nièce, ce n'est pas tant le jouer, que s'ac-
₇₃₅ commoder à ses fantaisies. Tout ceci n'est qu'entre nous. Nous
y pouvons aussi prendre chacun un personnage, et nous don-
ner ainsi la comédie les uns aux autres. Le carnaval autorise
cela. Allons vite préparer toutes choses.

CLÉANTE, *à Angélique* – Y consentez-vous?

₇₄₀ ANGÉLIQUE – Oui, puisque mon oncle nous conduit.

Note 1. **vous vous jouez :** vous vous moquez.

Au fil du texte

Questions sur l'acte III, scène 14 (pages 145 à 148)

QUE S'EST-IL PASSÉ ENTRE-TEMPS ?

1 Quel nouveau stratagème Toinette a-t-elle mis en place à la scène 11 ?

2 Comment Béline réagit-elle ?

3 Que découvre alors Argan à propos de Béline ?

AVEZ-VOUS BIEN LU ?

4 Angélique se trouve confrontée à la même situation que Béline. Quelle est sa réaction ?

5 À quelle condition Argan finit-il par accepter le mariage d'Angélique et de Cléante ?

6 Que propose alors Béralde pour Argan ?

ÉTUDIER UN THÈME : LA SATIRE DE LA MÉDECINE

7 Comment peut-on, selon Béralde, devenir médecin ?

8 Quelles nouvelles critiques sont ainsi faites à la médecine ?

ÉTUDIER LE DÉNOUEMENT*

* *dénouement :* fin de la pièce qui fixe le sort des personnages.

9 Quel personnage est à l'origine de ce dénouement ?

10 Pour qui cette fin est-elle heureuse ?

11 Pour qui cette fin est-elle moins heureuse ?

12 Ce rapide dénouement vous paraît-il vraisemblable* ? Pourquoi ?

* *vraisemblable :* crédible, réaliste.

La cérémonie du *Malade imaginaire*.
Gravure d'après un dessin d'Eugène-Ernest Hillemacher, 1870.

Troisième intermède

C'est une cérémonie burlesque d'un homme qu'on fait médecin en récit, chant, et danse.

ENTRÉE DE BALLET

Plusieurs tapissiers viennent préparer la salle et placer les bancs en cadence ; ensuite de quoi toute l'assemblée (composée de huit
5 porte-seringues, six apothicaires, vingt-deux docteurs, celui qui se fait recevoir médecin, huit chirurgiens dansants, et deux chantants) entre, et prend ses places, selon son rang.

PRÆSES

Sçavantissimi doctores,
Medicinae professores,
10 Qui hic assemblati estis,
Et vos, altri messiores,
Sententiarum Facultatis
Fideles executores,
Chirurgiani et apothicari,
15 Atque tota compania aussi,
Salus, honor, et argentum,
Atque bonum appetitum.

LE PRÉSIDENT

Très savants docteurs,
Professeurs de médecine,
Qui êtes ici assemblés,
Et vous autres, messieurs,
Des décisions de la Faculté
Fidèles exécuteurs,
Chirurgiens et apothicaires,
Et toute la compagnie aussi,
Salut, honneur, et argent,
Et bon appétit.

Non possum, docti confreri,	Je ne puis, doctes confrères,
En moi satis admirari	En moi-même admirer assez
20 Qualis bona inventio	Quelle bonne invention
Est medici professio,	Est la profession de médecin,
Quam bella chosa est,	Quelle belle chose c'est, et
[et bene rovata,	[bien trouvée,
Medicina illa benedicta,	Que cette médecine bénie,
Quae suo nomine solo,	Qui par son seul nom,
25 Surprenanti miraculo,	Miracle surprenant,
Depuis si longo tempore,	Depuis si longtemps,
Facit à gogo vivere	Fait vivre à gogo
Tant de gens omni genere.	Tant de gens de toute espèce.
Per totam terram videmus	Par toute la terre nous voyons
30 Grandam vogam ubi sumus,	La grande vogue où nous
	[sommes,
Et quod grandes et petiti	Et que les grands et les petits
Sunt de nobis infatuti.	Sont de nous entichés.
Totus mundus, currens ad	Le monde entier, accourant
[nostros remedios,	[à nos remèdes,
Nos regardat sicut deos ;	Nous regarde comme des
	[dieux ;
35 Et nostris ordonnanciis	Et à nos ordonnances
Principes et reges soumissos	Nous voyons soumis princes
[videtis.	[et rois.
Donque il est nostrae sapientiae,	Donc il est de notre sagesse,
Boni sensus atque prudentiae,	De notre bon sens et
	[prévoyance,
De fortement travaillare	De travailler fortement
40 A nos bene conservare	À nous bien conserver
In tali credito, voga, et honore,	En tel crédit, telle vogue,
	[et tel honneur,

Et prandere gardam à non	Et de prendre garde à ne
[*recevere*	[recevoir
In nostro docto corpore	Dans notre docte corporation[1]
Quam personas capabiles,	Que des personnes capables,
45 *Et totas dignas ramplire*	Et tout à fait dignes de remplir
Has plaças honorabiles.	Ces places honorables.
C'est pour cela que nunc	C'est pour cela qu'aujourd'hui
[*convocati estis :*	[vous avez été convoqués :
Et credo quod trovabitis	Et je crois que vous trouverez
Dignam matieram medici	Une digne matière de
	[médecin
50 *In sçavanti homine que voici,*	Dans le savant homme que
	[voici,
Lequel, in chosis omnibus,	Lequel, en toutes choses,
Dono ad interrogandum,	Je vous donne à interroger,
Et à fond examinandum	Et examiner à fond
Vostris capacitatibus.	Par vos capacités.
PRIMUS DOCTOR	LE PREMIER DOCTEUR
55 *Si mihi licenciam dat*	Si m'en donnent permission
[*dominus praeses,*	[le Seigneur Président,
Et tanti docti doctores,	Et tant de doctes docteurs,
Et assistantes illustres,	Et les illustres assistants,
Très sçavanti bacheliero,	Au très savant bachelier[2],
Quem estimo et honoro,	Que j'estime et honore,
60 *Domandabo causam*	Je demanderai la cause et
[*et rationem quare*	[la raison pour lesquelles
Opium facit dormire.	L'opium fait dormir.

BACHELIERUS
Mihi a docto doctore
Domandatur causam
      [et rationem quare
Opium facit dormire :
65 *À quoi respondeo,*
Quia est in eo
Virtus dormitiva,
Cujus est natura
Sensus assoupire.

LE BACHELIER
Par le docte docteur
Il m'est demandé la cause et
      [la raison pour lesquelles
L'opium fait dormir :
À quoi je réponds,
Parce qu'il est en lui
Une vertu dormitive,
Dont la nature
Est d'assoupir les sens.

CHORUS
70 *Bene, bene, bene,*
      [bene respondere :
Dignus, dignus est entrare
In nostro docto corpore.

LE CHŒUR
Bien, bien, bien, bien
      [répondu :
Digne, il est digne d'entrer
Dans notre docte corporation.

SECUNDUS DOCTOR
Cum permissione
      [domini praesidis,
Doctissimae Facultatis,
75 *Et totius his nostris actis*
Companiae assistantis,
Domandabo tibi,
      [docte bacheliere,
Quae sunt remedia
Quae in maladia
80 *Ditte hydropisia*
Convenit facere.

LE SECOND DOCTEUR
Avec la permission du Seigneur
      [Président,
De la très docte Faculté,
Et de toute la compagnie
Qui assiste à nos actes,
Je te demanderai, docte
      [bachelier,
Quels sont les remèdes
Que dans la maladie
Dite hydropisie
Il convient d'appliquer.

BACHELIERUS
Clysterium donare,
Postea seignare,
Ensuitta purgare.

LE BACHELIER
Donner le clystère,
Puis saigner,
Ensuite purger.

CHORUS	LE CHŒUR
85 *Bene, bene, bene, bene*	Bien, bien, bien, bien
[respondere :	[répondu :
Dignus, dignus est entrare	Digne, il est digne d'entrer
In nostro docto corpore.	Dans notre docte corporation.

TERTIUS DOCTOR	LE TROISIÈME DOCTEUR
Si bonum semblatur	S'il semble bon au Seigneur
[domino praesidi,	[Président,
Doctissimae Facultati,	À la très docte Faculté,
90 *Et companiae praesenti,*	Et à la compagnie présente,
Domandabo tibi,	Je te demanderai, docte
[docte bacheliere,	[bachelier,
Quae remedia eticis,	Quels remèdes aux étiques[1],
Pulmonicis, atque asmaticis,	Aux pulmoniques[2], et aux
	[asthmatiques,
Trovas à propos facere.	Tu trouves à propos de
	[donner.

BACHELIERUS	LE BACHELIER
95 *Clysterium donare,*	Donner le clystère,
Postea seignare,	Puis saigner,
Ensuitta purgare.	Ensuite purger.

CHORUS	LE CHŒUR
Bene, bene, bene, bene	Bien, bien, bien, bien
[respondere :	[répondu :
Dignus, dignus est entrare	Digne, il est digne d'entrer
100 *In nostro docto corpore.*	Dans notre docte corporation.

---

1. étiques : très maigres. **2. pulmoniques :** malades qui souffrent des poumons.

QUARTUS DOCTOR
Super illas maladias
Doctus bachelierus dixit
                    [maravillas,
Mais si non ennuyo dominum
                    [praesidem,
Doctissimam Facultatem,
105 *Et totam honorabilem*
Companiam ecoutantem,
Faciam illi unam quaestionem.
De hiero maladus unus
Tombavit in meas manus :
110 *Habet grandam fievram cum*
                    [redoublamentis,
Grandam dolorem capitis,
Et grandum malum au costé,
Cum granda difficultate
Et pena de respirare :
115 *Veillas mihi dire,*
Docte bacheliere,
Quid illi facere ?

BACHELIERUS
Clysterium donare,
Postea seignare,
120 *Ensuitta purgare.*

QUINTUS DOCTOR
Mais si maladia
Opiniatria
Non vult se garire,
Quid illi facere ?

LE QUATRIÈME DOCTEUR
Sur toutes ces maladies
Le docte bachelier a dit des
                    [merveilles,
Mais si je n'ennuie pas le
                    [Seigneur Président,
La très docte Faculté,
Et toute l'honorable
Compagnie qui écoute,
Je lui ferai une seule question.
Hier un malade
Tomba entre mes mains :
Il a une grande fièvre avec des
                    [redoublements,
Une grande douleur de tête,
Et un grand mal au côté,
Avec une grande difficulté
Et peine à respirer :
Veux-tu me dire,
Docte bachelier,
Ce qu'il lui faut faire ?

LE BACHELIER
Donner le clystère,
Puis saigner,
Ensuite purger.

LE CINQUIÈME DOCTEUR
Mais si la maladie
Opiniâtre[1]
Ne veut pas guérir,
Que lui faire ?

Note
1. opiniâtre : têtue, obstinée.

BACHELIERUS
125 *Clysterium donare,*
Postea seignare,
Ensuitta purgare.

CHORUS
Bene, bene, bene, bene
                    [respondere :
Dignus, dignus est entrare
130 *In nostro docto corpore.*

PRÆSES
Juras gardare statuta
Per Facultatem praescripta
Cum sensu et jugeamento?

BACHELIERUS
Juro.

PRÆSES
135 *Essere, in omnibus*
Consultationibus,
Ancieni aviso,
Aut bono,
Aut mauvaiso?

BACHELIERUS
140 *Juro.*

PRÆSES
De non jamais te servire
De remediis aucunis,

LE BACHELIER
Donner le clystère,
Puis saigner,
Ensuite purger.

LE CHŒUR
Bien, bien, bien, bien
                    [répondu :
Digne, il est digne d'entrer
Dans notre docte corporation.

LE PRÉSIDENT
Tu jures d'observer les statuts
Prescrits par la Faculté
Avec sens et jugement?

LE BACHELIER
Je jure.

LE PRÉSIDENT
D'être, dans toutes
Les consultations,
De l'avis des anciens,
Qu'il soit bon,
Ou mauvais?

LE BACHELIER
Je jure.

LE PRÉSIDENT
De ne jamais te servir
D'aucun remède,

Quam de ceux seulement
                    [doctae Facultatis,
Maladus dût-il crevare,
145 Et mori de suo malo ?

BACHELIERUS
Juro.

PRÆSES
Ego, cum isto boneto
Venerabili et docto,
Dono tibi et concedo
150 Virtutem et puissanciam
Medicandi,
Purgandi,
Seignandi,
Perçandi,
155 Taillandi,
Coupandi,
Et occidendi
Impune per totam terram.

Que de ceux seulement de
                    [la docte Faculté,
Le malade dût-il crever,
Et mourir de son mal ?

LE BACHELIER
Je jure.

LE PRÉSIDENT
Moi, avec ce bonnet
Vénérable et docte,
Je te donne et t'accorde
La vertu et la puissance
De médiciner,
De purger,
De saigner,
De percer,
De tailler,
De couper,
Et de tuer
Impunément par toute la terre.

ENTRÉE DE BALLET

Tous les Chirurgiens et Apothicaires viennent lui faire la révé-
160 rence en cadence.

BACHELIERUS
Grandes doctores doctrinae
De la rhubarbe et du séné,

LE BACHELIER
Grands docteurs de la doctrine
De la rhubarbe et du séné[1],

Note

1. séné : arbrisseau dont les gousses produisent une drogue laxative.

Ce serait sans douta	Ce serait sans doute à moi
[*à moi chosa folla,*	[chose folle,
Inepta et ridicula,	Inepte[1] et ridicule,
165 *Si j'alloibam m'engageare*	Si j'allais m'engager
Vobis louangeas donare,	À vous donner des louanges,
Et entreprenoibam adjoutare	Et si j'entreprenais d'ajouter
Des lumieras au soleillo,	Des lumières au soleil,
Et des etoilas au cielo,	Et des étoiles au ciel,
170 *Des ondas à l'Oceano,*	Des ondes à l'Océan,
Et des rosas au printanno.	Et des roses au printemps.
Agreate qu'avec uno moto,	Agréez que d'un seul
	[mouvement,
Pro toto remercimento,	Pour tout remerciement,
Rendam gratiam corpori	Je rende grâce
[*tam docto.*	[à une corporation si docte.
175 *Vobis, vobis debeo*	C'est à vous, à vous que je dois
Bien plus qu'à naturae	Bien plus qu'à la nature et à
[*et qu'à patri meo :*	[mon père :
Natura et pater meus	La nature et mon père
Hominem me habent factum ;	M'ont fait homme ;
Mais vos me, ce qui est bien	Mais vous, ce qui est bien plus,
[*plus,*	
180 *Avetis factum medicum,*	M'avez fait médecin,
Honor, favor, et gratia	Honneur, faveur, et grâce
Qui, in hoc corde que voilà,	Qui, dans le cœur que voilà,
Imprimant ressentimenta	Impriment des sentiments
Qui dureront in secula.	Qui dureront dans les siècles.
CHORUS	LE CHŒUR
185 *Vivat, vivat, vivat, vivat,*	Qu'il vive, qu'il vive, qu'il
[*cent fois vivat,*	[vive, cent fois qu'il vive,

Note

1. inepte : absurde.

Novus doctor, qui tam	Le nouveau docteur, qui parle
[*bene parlat !*	[si bien !
Mille, mille annis et manget	Pendant mille, mille ans, qu'il
[*et bibat,*	[mange et qu'il boive,
Et seignet et tuat !	Qu'il saigne et qu'il tue !

ENTRÉE DE BALLET

190 Tous les Chirurgiens et les Apothicaires dansent au son des instruments et des voix, et des battements de mains, et des mortiers[1] d'apothicaires.

CHIRURGUS	LE CHIRURGIEN
Puisse-t-il voir doctas	Puisse-t-il voir ses doctes
Suas ordonnancias	Ordonnances
Omnium chirurgorum	De tous les chirurgiens
195 *Et apothiquarum*	Et apothicaires
Remplire boutiquas !	Remplir les officines[2] !

CHORUS	LE CHŒUR
Vivat, vivat, vivat, vivat,	Qu'il vive, qu'il vive, qu'il
[*cent fois vivat,*	[vive, cent fois qu'il vive,
Novus doctor, qui tam	Le nouveau docteur, qui parle
[*bene parlat !*	[si bien !
Mille, mille annis et manget	Pendant mille, mille ans, qu'il
[*et bibat,*	[mange et qu'il boive,
200 *Et seignet et tuat !*	Qu'il saigne et qu'il tue !

CHIRURGUS	LE CHIRURGIEN
Puissent toti anni	Puissent toutes les années
Lui essere boni	Lui être bonnes

Notes

1. **mortier** : récipient destiné à broyer certaines substances.

2. **officines** : boutiques, ateliers, laboratoires.

Et favorabiles,
Et n'habere jamais
205 *Quam pestas, verolas,*
Fievras, pluresias,
Fluxus de sang, et dyssenterias !

CHORUS
Vivat, vivat, vivat, vivat,
    [cent fois vivat,
Novus doctor, qui tam
    [bene parlat !
210 *Mille, mille annis et manget*
    [et bibat,
Et seignet et tuat !

Et favorables,
Et n'avoir jamais
Que des pestes, des véroles,
Des fièvres, des pleurésies,
Des flux de sang et des
    [dysenteries !

LE CHŒUR
Qu'il vive, qu'il vive, qu'il
    [vive, cent fois qu'il vive,
Le nouveau docteur, qui parle
    [si bien !
Pendant mille, mille ans, qu'il
    [mange et qu'il boive,
Qu'il saigne et qu'il tue !

DERNIÈRE ENTRÉE DE BALLET

Des Médecins, des Chirurgiens et des Apothicaires, qui sortent tous, selon leur rang, en cérémonie, comme ils sont entrés.

Retour sur l'œuvre

Répliques	Qui parle ?	À qui s'adresse-t-il ?	De qui (ou de quoi) parle-t-il ?	À quel moment de l'intrigue ?
1				
2				
3				
4				
5				
6				
7				
8				
9				
10				

❶ Lisez attentivement les répliques suivantes pour compléter le tableau ci-contre.

Réplique n° 1 :

« Je t'avoue que je ne saurais me lasser de te parler de lui et que mon cœur profite avec chaleur de tous les moments de s'ouvrir à toi. Mais dis-moi, condamnes-tu, Toinette, les sentiments que j'ai pour lui ? »

Réplique n° 2 :

« C'est pour moi que je lui donne ce médecin ; et une fille de bon naturel doit être ravie d'épouser ce qui est utile à la santé de son père. »

Réplique n° 3 :

« Vous pouvez encore contracter un grand nombre d'obligations, non suspectes, au profit de divers créanciers, qui prêteront leur nom à votre femme, et entre les mains de laquelle ils mettront leur déclaration que ce qu'ils en ont fait n'a été que pour lui faire plaisir. »

Réplique n° 4 :

« Et comme les naturalistes remarquent que la fleur nommée héliotrope tourne sans cesse vers cet astre du jour, aussi mon cœur, dores-en-avant, tournera-t-il toujours vers les astres resplendissants de vos yeux adorables, aussi que vers son pôle unique. »

Réplique n° 5 :

« Là, là, mon papa, ne pleurez point tant, je ne suis pas morte tout à fait. »

Réplique n° 6 :

« C'est notre inquiétude, c'est notre impatience qui gâte tout, et presque tous les hommes meurent de leurs remèdes, et non pas de leurs maladies. »

Réplique n° 7 :

« J'ai à vous dire que je vous abandonne à votre mauvaise constitution, à l'intempérie de vos entrailles, à la corruption de votre sang, à l'âcreté de votre bile et à la féculence de vos humeurs. »

Réplique n° 8 :

« Ah ! ah ! ah ! ah ! ah ! j'en ai quatre-vingt-dix. »

Réplique n° 9 :

« Quelle perte est-ce que la sienne ? et de quoi servait-il sur la terre ? Un homme incommode à tout le monde, malpropre, dégoûtant, sans cesse un lavement ou une médecine dans le ventre, mouchant, toussant, crachant toujours, sans esprit, ennuyeux, de mauvaise humeur, fatiguant sans cesse les gens, et grondant jour et nuit servantes et valets. »

Réplique n° 10 :

« Qu'avez-vous donc, belle Angélique ? et quel malheur pleurez-vous ? »

2 Attribuez l'une des expressions suivantes à chacun des dix personnages que vous avez cités dans le tableau :
servante dévouée - petite fille malicieuse - oncle bienveillant - père hypocondriaque et égoïste - belle-mère cupide - prétendant maladroit et benêt - médecin incompétent - jeune fille amoureuse et sage - amoureux transi - notaire escroc.

3 Classez ces personnages selon d'une part leur bonté et leur sincérité, d'autre part leur égoïsme et leur hypocrisie.

4 Angélique entrevoit son avenir selon trois possibilités :

❏ **a)** épouser Cléante ;

❏ **b)** épouser Thomas Diafoirus ;

❏ **c)** entrer au couvent.

Rappelez qui, et pour quelle raison, est à l'origine de ces trois éventualités. Dites ensuite ce qu'il en est advenu.

5 Définissez le terme *quiproquo* et illustrez cette définition en racontant les circonstances de celui qui a eu lieu entre Argan et Angélique.

6 Citez deux stratagèmes imaginés par Toinette en précisant quel en était l'enjeu.

7 Quels types de divertissements s'ajoutent à la pièce au début et après chacun des trois actes ?

8 Quelles sont les principales critiques de Molière à la médecine et aux médecins?

9 Parmi ces situations, cochez celles qui correspondent au *Malade imaginaire*.

❏ **a)** Un personnage est enfermé dans un sac et est roué de coups sur scène.

❏ **b)** Pour connaître les véritables pensées de son entourage un personnage feint d'être mort et soudain « ressuscite ».

❏ **c)** Un personnage répète de nombreuses fois : *« Que diable allait-il faire dans cette galère? »*

❏ **d)** Une servante se déguise en médecin.

❏ **e)** Pour une marquise, un personnage rédige un billet galant dont voici l'une des versions : *« Vos yeux beaux d'amour me font, belle marquise, mourir. »*

❏ **f)** Un personnage répète au cours d'une scène : *« Le poumon..., le poumon vous dis-je. »*

10 Mettez les six situations de la question précédente en relation avec l'un des procédés comiques suivants :

❏ **a)** *Comique de situation*   ❏ **d)** *Comique de répétition*

❏ **b)** *Comique de mots*   ❏ **e)** *Comique de caractère*

❏ **c)** *Comique de geste*   ❏ **f)** *Comique de caricature*

11 Plus difficile : sauriez-vous dire à quelles autres pièces de Molière correspondent les situations de la question 9 que vous n'avez pas retrouvées dans le *Malade imaginaire*?

12 Quels sont les aspects du *Malade imaginaire* que vous avez plutôt aimés? Quels sont ceux que vous avez plutôt moins aimés? Pourquoi?

La dernière représentation de Molière. Gravure de Maurice Leloir.

Dossier Bibliocollège

Le Malade imaginaire

1. L'essentiel sur l'œuvre 168

2. La pièce en un coup d'œil 169

3. Le monde de Molière
   - Une monarchie absolue 170
   - Le contexte artistique 171
   - Être comédien au XVIIe siècle 172
   - Les différentes troupes à l'époque de Molière 173

4. Genre : Une comédie-ballet 175

5. Groupement de textes :
   Famille, famille... 181

6. Lecture d'images et histoire des Arts 190

7. Et par ailleurs… 195

La comédie-ballet en trois actes du *Malade imaginaire* est jouée pour la première fois au Palais-Royal le 10 février 1673. Molière y tient le rôle d'Argan. Très malade, il mourra une semaine plus tard.

La pièce obtient aussitôt un grand succès. Le décès de Molière interrompt à peine le calendrier des représentations car, dès le 25 février, le comédien La Thorillière reprend le rôle d'Argan. La comédie sera jouée devant le roi à Versailles le 18 juillet 1674.

Le Malade imaginaire

Molière a demandé à Marc-Antoine Charpentier de composer la musique des ballets qui, alternant avec les dialogues toniques et les jeux de scène inspirés du théâtre italien, contribuent à séduire le public.

Reprenant l'intrigue traditionnelle de la comédie – un père égoïste ne veut pas que sa fille se marie selon son cœur –, Molière dénonce l'incompétence des médecins, l'autorité abusive des pères et l'importance accordée à l'argent.

Exposition

Prologue : louanges à la gloire de Louis XIV.

• Argan, qui se dit malade, veut que sa fille Angélique épouse un médecin (I, 1 à 3 et 5).

• Angélique compte épouser Cléante qu'elle aime et qui l'aime. Elle confie son projet à Toinette, la servante (I, 4 et 8).

• Béline, la seconde épouse d'Argan, cherche à récupérer la fortune de son mari (I, 6 et 7).

Péripéties (actions)

Premier intermède : sérénade de Polichinelle.

Le combat d'Angélique et de Cléante

• Pour approcher Angélique, Cléante feint d'être son professeur de chant (II, 1 à 5).

• Thomas Diafoirus, le fiancé choisi par Argan, se présente : il est stupide (II, 5).

• Cléante donne sa leçon de musique devant Argan : les chants permettent aux jeunes gens d'exprimer leur amour partagé (II, 5).

• Angélique essaie en vain de défendre son choix face à trois égoïstes : Thomas Diafoirus, Béline et Argan (II, 6).

• Argan apprend, par la petite Louison, qu'Angélique a reçu Cléante dans sa chambre. Furieux, il veut mettre celle-ci dans un couvent (II, 7 et 8).

L'intervention de Béralde

• Béralde tente longuement de raisonner son frère, Argan, et de chasser les médecins qui l'entourent. Toinette l'aide en se faisant passer pour un médecin (II, 9, et III, 1 à 10).

Second intermède : danse des Égyptiens.

Dénouement

La vérité dévoilée : devant Argan qui fait semblant d'être mort, Béline révèle ses véritables intentions (III, 12) et Angélique exprime son amour (III, 13).

La situation finale : Argan accepte Cléante comme gendre à condition que ce dernier « se fasse médecin ». En définitive, Argan lui-même sera médecin (III, 14).

Troisième intermède : cérémonie.

Un roi absolu

Louis XIV règne en **roi absolu**, sans Premier ministre, de 1661 à 1715. L'aristocratie n'a plus de pouvoir ; les grands (les nobles) deviennent des **courtisans** qui participent à la vie fastueuse de Versailles et attendent des rentes de la part du roi.

Le prestige de la France

Les constructions (le château de Versailles et ses jardins) et les fêtes font de la France un **modèle européen** que d'autres monarques vont imiter. La France rayonne, mais elle est **ruinée**.

UNE MONARCHIE ABSOLUE

Louis XIV et le classicisme

En aménageant son domaine de Versailles, Louis XIV impose le **classicisme**, une esthétique caractérisée par la simplicité et l'ordre.

Louis XIV et le théâtre

L'autorité du roi s'exerce aussi sur les idées : il **décide de ce qui peut être écrit ou joué** sur scène. Ainsi, c'est lui qui confie à Molière le théâtre du Petit-Bourbon, en 1658, puis celui du Palais-Royal, en 1661. Mais c'est lui également qui interdira *Le Tartuffe* en 1664 et chassera de Paris, en 1697, les Comédiens-Italiens, jugés trop divertissants.

Un courant européen : le baroque

Le baroque domine en Europe jusqu'à la seconde moitié du XVIIIe siècle. Il se caractérise par la **richesse** des décors, l'importance des miroirs, des masques et des **trompe-l'œil**.

Un courant français : le classicisme

Le classicisme, soutenu par Louis XIV, est, lui, un courant spécifiquement français. S'inspirant de l'**Antiquité**, il recommande l'**équilibre** et la **rigueur**. Les architectes Mansart et Le Vau suivent ce modèle pour la création du château de Versailles et Le Nôtre pour les jardins dits « à la française ». En 1674, Boileau fixera les règles de la littérature classique dans son *Art poétique*.

LE CONTEXTE ARTISTIQUE

L'âge d'or du théâtre

Reprenant les modèles antiques, les **tragédies** expriment la misère de l'homme face à un destin qui le dépasse. En vers et en cinq actes, elles forment le genre littéraire le plus prestigieux. Pierre **Corneille** et Jean **Racine** y excellent. La **comédie**, d'inspiration plus populaire, sera considérée, jusqu'à la fin du XVIIIe siècle, comme un genre secondaire. **Molière** est son auteur le plus célèbre.

Une vie difficile

Les comédiens appartiennent à des troupes, et leur vie est
très difficile. Si Molière connaît un grand succès,
son existence n'en demeure pas moins mouvementée.
Pour survivre, un auteur doit savoir échapper à la **censure**,
affronter les **jalousies** et séduire un **public souvent agité**.

Le rejet de l'Église

Le mensonge et le divertissement étant leur métier,
les comédiens sont **excommuniés**, c'est-à-dire exclus
de la religion catholique. Les sacrements leur sont
refusés, et c'est pour cette raison que les funérailles
de Molière auront lieu discrètement, de nuit.

ÊTRE COMÉDIEN AU XVIIᵉ SIÈCLE

Une salle éclairée

Du temps de Molière, les pièces de théâtre sont
jouées dans des conditions bien différentes de celles
que nous connaissons aujourd'hui. La **salle reste
éclairée** durant tout le spectacle, et les chandelles
produisent une **fumée désagréable**.

Un public facilement distrait

Le théâtre réunit différentes classes sociales. En bas,
au **parterre**, les spectateurs sont debout. Dans les **loges**, sur
les côtés, les personnes de condition plus élevée poursuivent
les conversations entamées dans les salons. Certains spectateurs
importants sont installés **sur la scène même**, de chaque côté.

Les Comédiens-Italiens à Paris

Depuis la fin du XVIe siècle, les Comédiens-Italiens obtiennent un grand succès à Paris. Leur théâtre très codifié (la *commedia dell'arte*) met en scène des **personnages types**, qui ne changent pas d'une pièce à l'autre : Dottore le pédant, Pantalon l'avare, ainsi que les *zanni* (les valets) Arlequin, Scapin et Polichinelle. L'intrigue est réduite à un schéma (le *scenario*), et **les acteurs improvisent**, brodent sur ce canevas en ajoutant toutes les acrobaties (les *lazzis*, c'est-à-dire les jeux de scène) qui correspondent à leur rôle.

LES DIFFÉRENTES TROUPES À L'ÉPOQUE DE MOLIÈRE

Avant Molière : deux troupes officielles

Quand Molière arrive à Paris, après une vie de comédien itinérant en province, deux troupes officielles cohabitent : celle de l'**Hôtel de Bourgogne** (les Grands Comédiens), subventionnée par le roi, et celle, non subventionnée, du **Marais** (les Petits Comédiens).

Vers la Comédie-Française

En **1658**, le roi accorde à Molière une salle, puis, en 1665, une rente annuelle est versée à sa troupe.
En **1680**, sept ans après le décès de Molière, Louis XIV décide de fusionner les trois troupes de l'Hôtel de Bourgogne, du Marais et de Molière : la **Comédie-Française** est née.
Elle continue de jouer, aujourd'hui, le répertoire classique.

Scène de ballet dans la comédie italienne,
par Émile Bertin.

Pour plaire au Roi-Soleil, grand amateur de danse, Molière a inventé le genre de la comédie-ballet. Il s'agit d'un spectacle théâtral qui ajoute musique, chants et danses aux dialogues de la comédie classique. Intimement lié à Molière, le genre déclinera après sa mort.

I. Un spectacle divertissant

➡ **Les chants et les danses**

C'est associé au musicien Lully que Molière a créé ses principales comédies-ballets comme *Le Bourgeois gentilhomme*, en 1670. Trois ans plus tard, brouillé avec le compositeur, il fait appel à Marc-Antoine Charpentier pour écrire les musiques de son dernier spectacle : *Le Malade imaginaire*. Le prologue, qui célèbre les *« beaux faits »*, les *« exploits »*, et *« l'intrépide courage »* de Louis XIV, souligne qu'il s'agit bien pour le dramaturge et pour le musicien de s'attirer les bonnes grâces du roi.

> **À RETENIR**
> En créant un spectacle total, Molière et Charpentier cherchent à plaire à Louis XIV et au public de leur temps.

La présence de quatre ballets pour accompagner une pièce en trois actes montre la priorité que Molière accorde au spectacle. *« Les comédies ne sont faites que pour être jouées [...] avec les ornements qui les accompagnent »* peut-on lire en effet dans la préface de *L'Amour médecin*.

➡ **Des thématiques dans l'air du temps**

Les parties chantées et dansées ne reprennent pas l'intrigue imaginée par Molière mais posent un cadre fantaisiste, en accord avec les goûts des spectateurs de l'époque.

Les goûts des spectateurs	Les chants dans *Le Malade imaginaire*
La préciosité – L'amour est idéalisé, le langage recherché. La haute société, et plus particulièrement les femmes, se passionnent pour les histoires de bergers et de bergères.	Le prologue met en scène des bergers et des bergères ; le vocabulaire et la syntaxe sont travaillés. Les chants parlent d'amour.
La *commedia dell'arte* – Les comédiens italiens ont la faveur du public.	Le premier intermède met en scène Polichinelle, un personnage type de la *commedia dell'arte*.
L'exotisme – L'Orient est à la mode comme on le voit dans *Le Bourgeois gentilhomme*.	Le second intermède fait intervenir des Égyptiens.
Le rire – Les spectateurs viennent assister à des comédies pour s'amuser et se moquer.	Le troisième intermède, qui célèbre l'entrée d'Argan dans l'ordre des médecins, est destiné à faire rire et à brocarder les prétentieux.

➡ **La farce**

Pour s'assurer de la fidélité de son public, Molière n'hésite pas à puiser dans le comique de la farce, un genre qui a assuré ses premiers succès.

La **farce** est un genre théâtral médiéval. Elle était jouée dans la rue, en général en alternance avec des pièces religieuses appelées « **mystères** ». Les personnages et l'intrigue sont simplifiés, le comique de gestes est essentiel ; et les comédiens n'hésitent pas à recourir à des situations et à un vocabulaire grossiers. Ainsi, Toinette hurle parce qu'elle s'est cognée ; les médecins recourent à un latin fantaisiste ; et le Malade, entre deux lavements, se précipite « au bassin »…

À RETENIR

Les exagérations, les situations grossières, ainsi que la place accordée au comique de gestes montrent que Molière s'inspire de la farce.

II. Une comédie classique

⇨ Un genre très ancien

Comme la tragédie, très appréciée au XVIIᵉ siècle, la comédie est née en Grèce. Au Vᵉ siècle av. J.-C., les habitants des cités se réunissent dans des théâtres où alternent des pièces tragiques et des pièces comiques. Les tragédies inspirent aux spectateurs « terreur et pitié » (Aristote, philosophe grec) alors que les comédies provoquent le rire. Les auteurs latins puis français ont repris ces deux modèles grecs.

> **À RETENIR**
> Les dramaturges français du XVIIᵉ siècle s'inspirent des tragédies et des comédies grecques.
> Les œuvres classiques ont pour modèle l'Antiquité.

Tragédie	Comédie
Les personnages	
Des personnages de haut rang souvent présentés comme des modèles à suivre.	Des personnages ordinaires, voire médiocres, dont on peut se moquer.
L'intrigue	
Les intrigues sont liées au pouvoir politique ou à l'autorité des dieux.	L'intrigue se situe dans un milieu familial, et il y est question d'un mariage.
Le dénouement	
Un dénouement malheureux : les personnages meurent le plus souvent.	Un dénouement heureux : les jeunes gens qui s'aiment se marient.

⇨ L'intrigue de la comédie

Au XVIIᵉ siècle, il est recommandé d'imiter les Anciens ; et Molière reprend souvent les intrigues des comédies de l'Antiquité. Ainsi, *L'Avare* s'inspire fortement de *La Marmite* du Latin Plaute.

La comédie	Le Malade imaginaire
Le problème de l'intrigue	
Un père ne veut pas que son fils ou sa fille épouse la personne qu'il ou elle aime.	Argan ne veut pas que sa fille Angélique épouse Cléante ; il souhaite la marier à un médecin qui pourra le soigner gratuitement. **Particularité** : Béline, la seconde épouse d'Argan, cherche à s'emparer de la fortune de son mari.
Les péripéties	
Ruses et déguisements s'enchaînent pour rapprocher les jeunes gens qui s'aiment.	Cléante se fait passer pour un maître de musique et Toinette pour un médecin. **Particularité** : Béralde tente de raisonner son frère Argan.
Le dénouement	
Grâce à un **coup de théâtre** (événement inattendu), les amoureux peuvent se marier.	Argan, en faisant croire qu'il est mort, démasque Béline et mesure l'amour de sa fille Angélique. Les deux jeunes gens peuvent alors se marier. **Particularité** : le coup de théâtre n'est pas le fait d'une intervention extérieure.

➠ **Les personnages de la comédie**

Dans l'Antiquité, les acteurs portent des masques qui définissent le caractère et le rôle des personnages qu'ils incarnent : ce sont des personnages types que l'on retrouve d'une tragédie ou d'une comédie à l'autre.

À RETENIR

Molière reprend les personnages types des comédies de l'Antiquité.

Dans la comédie, on rencontre surtout :
- un **barbon**, c'est-à-dire un père âgé, égoïste, avare et naïf : Argan dans *Le Malade imaginaire*;
- des **jeunes gens amoureux** : Angélique et Cléante;
- un **valet** (ou une **servante**) insolent(e) et débrouillard(e) : Toinette.

➡ Les procédés comiques

D'une comédie à l'autre, chez Molière comme chez les Anciens, on retrouve les mêmes procédés comiques :
- le **comique de gestes** : par exemple, lorsque Toinette ausculte Argan;
- le **comique de caractère** : l'obsession d'Argan pour la maladie, l'insolence de la servante;
- le **comique de mots** : les discours de Thomas Diafoirus;
- le **comique de situation** : le quiproquo (malentendu) qui fait qu'Angélique pense, un moment, que son père veut qu'elle épouse Cléante (acte I, scène 5).

➡ La satire

La devise latine de la comédie, « *Castigat ridendo mores* », signifie que l'auteur se donne pour mission morale de corriger les mauvais comportements en faisant rire. La comédie est satirique car elle tourne en ridicule des défauts pour les dénoncer.

De manière générale, Molière s'en prend aux **prétentieux** et à **ceux qui font semblant**. Les médecins, parce qu'ils prétendent soigner malgré un savoir limité et qu'ils se gargarisent de belles paroles en latin, sont sa cible privilégiée.

> **À RETENIR**
> La satire consiste à dénoncer en se moquant. Molière critique les médecins incompétents et prétentieux, mais aussi les pères autoritaires et égoïstes.

Molière critique aussi l'**autorité abusive des pères** qui ne se soucient que de leur intérêt personnel. En même temps, il défend les filles : Angélique dans *Le Malade imaginaire*, comme Agnès dans *L'École des femmes*. On perçoit bien son affection pour elles quand il imagine la petite Louison.

Ainsi, dans cette dernière comédie, Molière nous montre, une fois encore, son habileté à renouveler les genres connus pour répondre aux attentes de son public.

Les comédies de Molière se déroulent le plus souvent dans un cadre familial ; leur intrigue se noue autour d'un conflit qui oppose un père détenant l'autorité absolue à des enfants qui voudraient affirmer leur liberté. Ainsi, dans *Le Malade imaginaire*, Argan, un père égoïste et manipulé par sa seconde épouse, exerce son autorité sur ses deux filles, Angélique et Louison. On retrouve une situation familiale voisine dans *Cendrillon*, le conte de Charles Perrault, bien que ce ne soit pas l'aide d'une servante habile qui parvienne à libérer l'héroïne, mais la magie d'une fée !

Heureusement, les familles ne se ressemblent pas toutes. Parents et enfants partagent aussi de l'affection, comme Victor Hugo pour sa petite Léopoldine. L'écoute peut être au centre des relations : Marivaux en montre un exemple avec Orgon qui, à l'inverse d'Argan, se soucie de ce que sa fille pense du mariage.

Mais quel lien tisser avec une famille quasi absente ? C'est ce que se demande le jeune narrateur dans le dernier texte. La solitude pèserait-elle plus lourd qu'un conflit familial ?

1 Charles Perrault, *Cendrillon ou la Petite Pantoufle de verre*

Pour défendre, au XVIIᵉ siècle, la culture populaire devant ses contemporains qui préfèrent les Grecs et les Latins, Charles Perrault rassemble et écrit les contes transmis de génération en génération par la tradition orale. Cendrillon, sa pantoufle oubliée et son Prince Charmant sont très connus. La première page du conte présente la situation familiale de la jeune fille.

Il était une fois un gentilhomme[1] qui épousa en secondes noces une femme, la plus hautaine[2] et la plus fière qu'on eût jamais vue. Elle avait deux filles de son humeur[3], et qui lui ressemblaient en toutes choses. Le mari avait de son côté une jeune fille, mais d'une douceur et d'une bonté sans exemple ; elle tenait cela de sa mère, qui était la meilleure personne du monde. Les noces ne furent pas plus tôt faites, que la belle-mère fit éclater sa mauvaise humeur ; elle ne put souffrir[4] les bonnes qualités de cette jeune enfant, qui rendaient ses filles encore plus haïssables. Elle la chargea des plus viles[5] occupations de la maison : c'était elle qui nettoyait la vaisselle et les montées[6], qui frottait la chambre de madame, et celles de mesdemoiselles ses filles. Elle couchait tout au haut de la maison, dans un grenier, sur une méchante[7] paillasse[8], pendant que ses sœurs étaient dans des chambres parquetées[9], où elles avaient des lits des plus à la mode, et des miroirs où elles se voyaient depuis les pieds jusqu'à la tête.

La pauvre fille souffrait tout avec patience, et n'osait s'en plaindre à son père qui l'aurait grondée, parce que sa femme le gouvernait entièrement. Lorsqu'elle avait fait son ouvrage[10],

---

Notes

1. **gentilhomme** : homme appartenant à la noblesse.
2. **hautaine** : méprisante.
3. **humeur** : caractère.
4. **souffrir** : supporter.
5. **viles** : basses, repoussantes.

6. **montées** : escaliers.
7. **méchante** : vilaine.
8. **paillasse** : lit formé d'une botte de paille.
9. **parquetées** : avec du parquet.
10. **ouvrage** : travail.

elle s'allait mettre au coin de la cheminée, et s'asseoir dans les cendres, ce qui faisait qu'on l'appelait communément[1] dans le logis Cucendron. La cadette, qui n'était pas si malhonnête[2] que son aînée, l'appelait Cendrillon ; cependant Cendrillon, avec ses méchants habits, ne laissait pas[3] d'être cent fois plus belle que ses sœurs, quoique vêtues très magnifiquement.

Charles Perrault, *Cendrillon ou la Petite Pantoufle de verre*, 1697.

Questions sur le texte ❶

A. Quel est le personnage principal du conte ? Quels indices vous ont permis de répondre ?

B. Comment est composée la famille du gentilhomme ? En quoi ressemble-t-elle à celle du *Malade imaginaire* ?

C. En quoi les jeunes filles s'opposent-elles ? Qu'éprouvez-vous en découvrant la situation présentée dans la première page de ce conte ?

❷ Marivaux, *Le Jeu de l'amour et du hasard*

Une cinquantaine d'années après *Le Malade imaginaire*, Marivaux reprend le thème du mariage arrangé. Orgon voudrait marier sa fille Silvia à Dorante, le fils d'un de ses amis, cependant cette dernière semble refuser. Pourtant Dorante n'est pas Thomas Diafoirus ; il a de nombreuses qualités. Dans la scène 1, Silvia a expliqué à sa servante Lisette pourquoi elle ne voulait pas se marier. Dans la scène 2, elle rencontre son père qui lui expose son projet.

Notes

1. **communément** : habituellement.
2. **malhonnête** : désagréable.
3. **ne laissait pas** : ne manquait pas.

MONSIEUR ORGON – Eh bonjour, ma fille. La nouvelle que je viens t'annoncer te fera-t-elle plaisir? Ton prétendu[1] arrive aujourd'hui; son père me l'apprend par cette lettre-ci. Tu ne me réponds rien, tu me parais triste? Lisette de son côté baisse les yeux. Qu'est-ce que cela signifie? Parle donc toi. De quoi s'agit-il?

LISETTE – Monsieur, un visage qui fait trembler, un autre qui fait mourir de froid, une âme gelée qui se tient à l'écart; et puis le portrait d'une femme qui a le visage abattu, un teint plombé[2], des yeux bouffis et qui viennent de pleurer; voilà, Monsieur, tout ce que nous considérons avec tant de recueillement.

MONSIEUR ORGON – Que veut dire ce galimatias[3]? Une âme! Un portrait! Explique-toi donc, je n'y entends[4] rien.

SILVIA – C'est que j'entretenais[5] Lisette du malheur d'une femme maltraitée par son mari; je lui citais celle de Tersandre, que je trouvai l'autre jour fort abattue, parce que son mari venait de la quereller, et je faisais là-dessus mes réflexions.

LISETTE – Oui, nous parlions d'une physionomie qui va et qui vient[6]; nous disions qu'un mari porte un masque avec le monde, et une grimace avec sa femme.

MONSIEUR ORGON – De tout cela, ma fille, je comprends que le mariage t'alarme[7], d'autant plus que tu ne connais point Dorante.

LISETTE – Premièrement, il est beau, et c'est presque tant pis[8].

MONSIEUR ORGON – Tant pis! Rêves-tu avec ton tant pis?

LISETTE – Moi, je dis ce qu'on m'apprend; c'est la doctrine de Madame, j'étudie sous elle[9].

Notes

1. **prétendu** : fiancé.
2. **plombé** : sombre comme du plomb.
3. **galimatias** : charabia.
4. **entends** : comprends.
5. **j'entretenais** : je parlais à.

6. **physionomie qui va et qui vient :** visage changeant.
7. **t'alarme** : t'inquiète.
8. Lisette reprend une réplique de Silvia dans la scène 1.
9. **sous elle** : sous sa direction.

MONSIEUR ORGON – Allons, allons, il n'est pas question de tout cela. Tiens, ma chère enfant, tu sais combien je t'aime. Dorante vient pour t'épouser : dans le dernier voyage que je fis en province, j'arrêtai ce mariage-là avec son père, qui est mon intime et mon ancien ami ; mais ce fut à condition que vous vous plairiez à tous deux, et que vous auriez entière liberté de vous expliquer là-dessus : je te défends toute complaisance[1] à mon égard. Si Dorante ne te convient point, tu n'as qu'à le dire, et il repart ; si tu ne lui convenais pas, il repart de même.

LISETTE – Un duo de tendresse en décidera, comme à l'Opéra : vous me voulez, je vous veux, vite un notaire ! ou bien : m'aimez-vous ? non ; ni moi non plus ; vite à cheval[2] !

MONSIEUR ORGON – Pour moi, je n'ai jamais vu Dorante ; il était absent quand j'étais chez son père ; mais sur tout le bien qu'on m'en a dit, je ne saurais craindre que vous vous remerciiez[3] ni l'un ni l'autre.

SILVIA – Je suis pénétrée de[4] vos bontés, mon père. Vous me défendez toute complaisance, et je vous obéirai.

MONSIEUR ORGON – Je te l'ordonne.

Marivaux, *Le Jeu de l'amour et du hasard*, acte I, scène 2, 1730.

Questions sur le texte ❷

A. Pourquoi Silvia est-elle inquiète à l'idée de se marier ?

B. Comment Orgon se comporte-t-il vis-à-vis de sa fille ? Comparez son attitude à celle d'Argan dans *Le Malade imaginaire*.

C. Qu'« ordonne » Orgon à Silvia dans la dernière réplique de l'extrait ? En quoi est-ce surprenant ?

Notes

1. **complaisance** : gentillesse, bienveillance.
2. **vite à cheval** : vite, on s'en va.

3. **vous vous remerciiez** : vous vous rejetiez. (Le verbe est au présent du subjonctif.)
4. **pénétrée de** : touchée par.

3 Victor Hugo, *Les Contemplations*, livre IV

Le 4 septembre 1843, à Villequier, Léopoldine Hugo, âgée de 19 ans, se noie avec son mari dans la Seine. Exilé dans les îles Anglo-Normandes depuis l'avènement de Napoléon III, Victor Hugo compose, en 1856, *Les Contemplations*, un recueil poétique en hommage à sa fille. Le poème qui suit est un des plus célèbres.

Elle avait pris ce pli dans son âge enfantin
De venir dans ma chambre un peu chaque matin ;
Je l'attendais ainsi qu'un rayon qu'on espère ;
Elle entrait, et disait : «Bonjour, mon petit père» ;
Prenait ma plume, ouvrait mes livres, s'asseyait
Sur mon lit, dérangeait mes papiers, et riait,
Puis soudain s'en allait comme un oiseau qui passe.
Alors, je reprenais, la tête un peu moins lasse[1],
Mon œuvre interrompue, et, tout en écrivant,
Parmi mes manuscrits je rencontrais souvent
Quelque arabesque folle et qu'elle avait tracée,
Et mainte page blanche[2] entre ses mains froissée
Où, je ne sais comment, venaient mes plus doux vers.
Elle aimait Dieu, les fleurs, les astres, les prés verts,
Et c'était un esprit avant d'être une femme.
Son regard reflétait la clarté de son âme.
Elle me consultait[3] sur tout à tous moments.
Oh ! que de soirs d'hiver radieux[4] et charmants,
Passés à raisonner langue, histoire et grammaire,
Mes quatre enfants groupés sur mes genoux, leur mère
Tout près, quelques amis causant au coin du feu !
J'appelais cette vie être content de peu !
Et dire qu'elle est morte ! hélas ! que Dieu m'assiste[5] !

Notes

1. **lasse** : fatiguée.
2. **mainte page blanche** : un grand nombre de pages blanches.

3. **me consultait** : me demandait mon avis.
4. **radieux** : lumineux, heureux.
5. **m'assiste** : me soutienne.

Je n'étais jamais gai quand je la sentais triste ;
J'étais morne[1] au milieu du bal le plus joyeux
Si j'avais, en partant, vu quelque ombre en ses yeux.

Novembre 1846, jour des Morts.

Victor Hugo, *Les Contemplations*, livre IV, v, 1856.

Questions sur le texte ❸

A. Pourquoi, selon vous, Victor Hugo commence-t-il son poème par le pronom *« Elle »* au lieu de nommer clairement sa fille Léopoldine ?

B. Quelles significations donnez-vous à la comparaison *« comme un oiseau qui passe »* ?

C. Comment se manifeste l'affection que le poète éprouve pour ses enfants et plus particulièrement, ici, pour Léopoldine ?

④ Timothée de Fombelle, *Céleste, ma planète*

Très connu pour les deux volumes consacrés aux mondes de Tobie Lolness, Timothée de Fombelle prend, ici, la défense de notre planète en écrivant un court récit d'anticipation dont le narrateur est un adolescent rebelle qui refuse la vie de consommation et de jeux que lui propose son époque.

Briss venait à la maison, dans la tour *!mmencity*[2], après l'école.
Il attendait avec moi son père qui travaillait tard le soir.
— Briss !
Toujours la même scène, vers minuit.
— Briss !

1. morne : sombre, triste.　　　**2.** Les tours ont toutes au moins 300 étages.

On voyait son père accroché à sa nacelle[1] qui appelait et toquait à la fenêtre. On ouvrait. Le ronflement de la ville entrait dans la pièce. Ça sentait le produit pour vitres, une odeur de pâte à ballon. Briss montait dans la nacelle avec le laveur de carreaux.

– À demain…

Ils descendaient ensemble le long de la paroi de verre. Ils rentraient chez eux dans la nuit.

J'aimais beaucoup le père de Briss, son métier d'acrobate accroché aux tours. J'aimais beaucoup Briss, aussi.

Je sais maintenant que je leur dois tout.

Briss, lui, aimait bien ma mère. Il me le disait pour me réconforter. C'est plus facile d'aimer les gens quand on ne les a jamais vus.

Car ma mère n'était pas là. Jamais. Elle travaillait chez *!ndustry*. Vu sa coiffure, elle devait être dans les chefs. Elle travaillait énormément. Elle voyageait.

Moi, je la voyais une fois par mois dans la salle d'attente de son bureau.

Elle me remplissait le frigo en ligne, tous les lundis. Elle voulait que je ne manque de rien. Le livreur sonnait à vingt-deux heures. Ça faisait des quantités astronomiques. Huit caisses tous les lundis. J'avais le temps de manger trois œufs, des pâtes et des brocolis dans la semaine. Pas plus. Puis, ça recommençait. Huit caisses.

Le frigo en ligne, c'était mon cauchemar. Je n'arrivais pas à suivre.

Une fois par semaine le téléphone sonnait.

– Tout va bien, mon chéri ? Tu as ce qu'il te faut ?

Ce n'était pas ma mère. C'était sa secrétaire, Gründa.

Ma mère n'avait pas le temps.

Note

1. **nacelle** : petite cabine suspendue.

Heureusement, j'avais Briss. Il travaillait le frigo pendant que je dessinais mes cartes. Parfois, après seize fromages blancs et un kilo de pistaches, il avait l'impression de prendre le dessus. Mais il restait les vingt-quatre tubes de chammallow à boire qui le narguaient[1] avec leurs grands yeux roses.

Briss jetait un mètre cube d'emballages vides tous les soirs avant de partir. Je me souviens du bruit du plastique écrasé dans le mange-ordures.

Je me souviens aussi de l'abonnement à «Je console», cinq jeux, payés par ma mère, qui arrivaient le mercredi sur l'ordinateur. Briss me rendait service, il jouait six ou sept heures en mangeant des chips, pendant que je faisais mon piano dans ma chambre.

Rien que le nom me faisait de la peine : «Je console».

Timothée de Fombelle, *Céleste, ma planète*,
© Éditions Gallimard Jeunesse, 2009.

Questions sur le texte 🜀

A. Relevez les indices qui montrent que le texte appartient au genre du roman d'anticipation. En quoi le monde évoqué ressemble-t-il, malgré tout, au nôtre ?

B. En quoi la vie familiale de Briss et celle du narrateur s'opposent-elles ?

C. *« Elle voulait que je ne manque de rien. »* Comment se traduit, dans les faits, cette intention de la mère ? Le narrateur est-il satisfait ? Qu'en pensez-vous ?

Note
1. **le narguaient** : le provoquaient.

1 *Le Malade imaginaire*, mise en scène de Colette Roumanoff, 2017

Document 1
Affiche réalisée pour les représentations données au Théâtre Hébertot, 2017-2018.
Renaud de Manoël joue le rôle d'Argan.

D'abord économiste et journaliste, Colette Roumanoff a coécrit les sketches de sa fille Anne Roumanoff avant de fonder en 1993 sa propre compagnie théâtrale spécialisée dans le répertoire classique. Sa mise en scène du *Malade imaginaire*, fidèle à l'esprit de la pièce, est à la fois soignée et vive. Les costumes et le décor rappellent l'époque de Molière tandis que le jeu des comédiens parvient à toucher le public d'aujourd'hui. Colette Roumanoff « *a l'art de faire pétiller tout ce qu'elle touche* » (Télérama).

Questions sur le document 1

A. À quelle scène de l'acte I l'affiche fait-elle allusion ?

B. En quoi l'attitude d'Argan suggère-t-elle bien le caractère du personnage ? Comparez l'image avec la mise en scène de Jean-Philippe Daguerre en 2017 figurant en couverture.

C. Décrivez les différents éléments de l'affiche. Quelles informations le graphiste a-t-il voulu transmettre ?

---

2) *Le Malade imaginaire*, mise en scène de Claude Stratz, 2001

Verso de couverture

Document 2
Argan (Alain Pralon) et Louison (Cynthia Groggia).
Comédie-Française, 2001.

Sept ans après la mort de Molière, Louis XIV ordonne la fusion de sa troupe avec celle du Marais. La Comédie-Française est née : elle se consacre, principalement, à maintenir vivant l'héritage classique et son prestige est toujours aussi grand aujourd'hui.

Claude Stratz (1946-2007) est un metteur en scène suisse. Après avoir été l'assistant du célèbre Patrice Chéreau au théâtre des Amandiers de Nanterre et avoir dirigé l'École supérieure dramatique de Genève, il vient à Paris, en 2001, monter *Le Malade imaginaire* à la Comédie-Française. Le succès est considérable. La même année, il accède à la direction du prestigieux Conservatoire national supérieur d'art dramatique (CNSAD).

Dans un décor épuré, mêlant costumes modernes et d'époque, avec le souci de rendre atemporel l'intrigue, Claude Stratz propose une mise en scène traditionnelle mais tonique de la dernière comédie de Molière.

Questions sur le document ❷

A. À quelle scène de l'acte II et à quelle réplique correspond cette image ?

B. Pourquoi, selon vous, le metteur en scène a-t-il choisi de faire asseoir Argan par terre ?

C. Qu'expriment le visage et l'attitude de la fillette ?

3) *Eugène Manet et sa Fille dans le jardin de Bougival*, Berthe Morisot, vers 1881

Document 3
Huile sur toile.
Musée Marmottan Monet, Paris.

Dans le milieu des artistes encore très masculin au XIXe siècle, Berthe Morisot (1841-1895) s'est fait un nom. Elle appartient au groupe des impressionnistes, critiqué à son époque et mondialement admiré aujourd'hui.

Ces peintres rejettent la peinture académique, la seule autorisée par l'Académie royale de peinture et de sculpture. Quittant les ateliers et préférant les nuances au dessin, ils choisissent de peindre en extérieur, d'exprimer le mouvement naturel et la lumière.

En 1874, Berthe Morisot épouse Eugène Manet et, en 1878, elle donne naissance à Lucie. Tous deux sont représentés à Bougival, lieu en bord de Seine fréquenté par les impressionnistes.

Questions sur le document 3

A. Comment Berthe Morisot donne-t-elle l'illusion que les personnages n'ont pas posé[1] et qu'elle a saisi l'instant ?

B. Montrez comment s'harmonisent les teintes employées pour peindre les deux personnages. Quel est l'effet produit selon vous ?

C. Que devinez-vous de la vie menée par les deux personnages ? de leurs relations ?

Note

1. Les peintres demandent à leurs modèles de garder longtemps une position tandis qu'ils peignent leur portrait.

4) *Le Malade imaginaire*, mise en scène de Georges Werler, 2008

Verso de couverture

Document 4

Le Notaire (Olivier Claverie), Béline (Hélène Seuzaret) et Argan (Michel Bouquet).

Théâtre de la Porte Saint-Martin, 2008.

Le répertoire de Georges Werler, comédien et metteur en scène, est varié. En 1996, il a reçu le Molière du metteur en scène du théâtre public pour son travail sur *Monsieur Schpill et Monsieur Tippeton* de Gilles Segal. En 2005, sa mise en scène de la célèbre pièce d'Eugène Ionesco *Le Roi se meurt* lui vaut le Molière du théâtre privé. Le rôle du Roi y est interprété par Michel Bouquet, que l'on retrouve, en 2008, dans le rôle-titre du *Malade imaginaire*.

Dans un décor suggérant le milieu social aisé des personnages, les comédiens, vêtus de costumes atemporels, prêtent docilement leur voix et leurs gestes au texte du *Malade imaginaire*, lui donnant vie et déclenchant les rires. Michel Bouquet contribue au succès du spectacle. Acteur au théâtre et au cinéma, il a souvent tenu de grands rôles dans les pièces de Molière qu'il affectionne particulièrement.

Questions sur le document 4

A. Qui est l'homme en noir à gauche? Qu'évoquent son costume et son attitude? À quelle scène de la pièce cette image correspond-elle?

B. Comment le metteur en scène a-t-il choisi de représenter Argan? Qu'exprime, selon vous, le visage de Michel Bouquet dans ce rôle?

C. Expliquez l'attitude et le regard de Béline.

5 *Le Malade imaginaire*, mise en scène de Gildas Bourdet, 2003

Document 5

Toinette (Marianne Épin), Angélique (Isabelle Thomas), Argan (Philippe Séjourné), Béline (Luce Mouchel), Thomas Diafoirus (Sylvain Katan) et Monsieur Diafoirus (Guy Perrot).

Théâtre de l'Ouest parisien, 2003.

Gildas Bourdet est comédien, metteur en scène et dramaturge. Sa mise en scène du *Malade imaginaire* a d'abord été présentée en 1991 à la Comédie-Française avant d'être reprise, en 2003, au théâtre de l'Ouest parisien, avec une nouvelle équipe de comédiens.

Le décor géométrique très coloré créé par Edouard Lang nous invite à poser un regard neuf sur cette comédie très connue et à en percevoir toute la fraîcheur. Les costumes, les nez postiches, les jeux de scène exagérés, inspirés de la farce et de la *commedia dell'arte*, restent fidèles à l'esprit de la pièce. En effet, dans *Le Malade imaginaire*, Molière, qui, lui, est vraiment mourant, se moque des médecins et de la mort en prônant la joie et la fantaisie.

Le document 5 présente Thomas Diafoirus, coincé dans un tabouret et récitant son compliment à Béline.

Questions sur le document 5

A. Quels éléments de la mise en scène sont, ici, source de comique ?

B. Comment Gildas Bourdet montre-t-il que le couple Argan/Béline est mal assorti ? Comparez ses choix avec ceux de Georges Werler (document 4).

C. Pourquoi, selon vous, Monsieur Diafoirus tient-il une baguette ?

D. Quelle signification pourrait avoir le tabouret enfoncé sur la tête de Thomas Diafoirus ?

Le Malade imaginaire, pièce d'adieu, nous donne envie de mieux connaître Molière. Ce grand auteur défie ici la maladie et la mort en séduisant son public par le rire et les danses ; il dénonce une dernière fois les prétentions et les abus d'autorité.

LES MÉDECINS CHEZ MOLIÈRE...

Molière s'est souvent moqué des médecins, dans une grande comédie comme *Dom Juan* ou dans de courtes pièces à découvrir en « Bibliocollège » :

• *Le Médecin volant* reprend une pièce italienne : *El Medico volante*. Cette comédie en un acte nous montre l'histoire de Lucile qui, pour retarder un mariage qui lui déplaît, fait croire qu'elle est malade. Pendant ce temps, le jeune homme qu'elle aime, Valère, demande à son valet Sganarelle de se faire passer pour un médecin. Cette pièce est publiée avec une courte comédie-ballet : *L'Amour médecin*. Il s'agit, cette fois encore, de ridiculiser les médecins prétentieux et incompétents.

• *Le Médecin malgré lui*, en trois actes, reprend l'intrigue du *Médecin volant* en nous montrant, dans une scène célèbre, un faux médecin auscultant une fausse malade. Voilà qui vous rappelle, sans doute, Toinette et *« le poumon »*…

... ET AILLEURS

• Le fabliau du Moyen Âge *Le Vilain mire* a inspiré à Molière l'intrigue du *Médecin malgré lui*. Vous pourrez lire ce court récit amusant dans le recueil *Fabliaux du Moyen Âge* (Folio Junior).

• Bien après Molière, au début du XXe siècle, Jules Romains compose *Knock ou le Triomphe de la médecine,* une comédie dans laquelle il dénonce la façon dont quelqu'un peut habilement manipuler les autres.

• Les romans, depuis le XIXe siècle, donnent une image beaucoup plus positive de la médecine.

On peut penser à Balzac qui, sur son lit de mort, a, dit-on, appelé le docteur Bianchon, le médecin fictif qui intervient dans plusieurs de ses romans. Plus tard, le grand roman d'Albert Camus *La Peste* souligne le dévouement du docteur Rieux dans une ville ravagée par une épidémie de peste.

SUR LA TOILE

- **Site de la Comédie-Française** (www.comedie-française.fr) : vous trouverez des informations sur Molière, notamment une biographie détaillée, en consultant le site de cette prestigieuse institution (onglets « Histoire et patrimoine », puis « Molière »).

- **Site** www.toutmolière.net : toutes les pièces de Molière peuvent y être lues. Consultez également la biographie, les notices des œuvres, et cherchez des illustrations.

- **Site de l'INA** (www.ina.fr) : vous pourrez visionner un extrait du journal télévisé de France 2 du 4 février 1991 qui annonce la mise en scène de Gildas Bourdet (voir p. 194) pour la Comédie-Française et interroge un professeur de médecine sur ce qu'est un malade ima-

ginaire. Vous trouverez aussi un extrait du journal du 22 février 2001 qui, présentant la mise en scène de Claude Stratz (voir p. 191), réunit des images des différents ballets qui ont conclu la pièce. Et ne manquez pas non plus l'interview de Michel Bouquet (voir p. 193).

- **Sur Youtube**, recherchez **« Le Malade Imaginaire (de Molière) – Pièce de théâtre »**, et regardez l'intégralité de la pièce dans la mise en scène de Colette Roumanoff (voir p. 190).

LES ENFANTS DANS LA PEINTURE IMPRESSIONNISTE

Si le tableau de Berthe Morisot (voir p. 192) vous a plu, allez chercher sur Internet d'autres toiles qui vous toucheront certainement autant.

- **Berthe Morisot :** *Femme et Enfant au balcon* (1872), *Le Berceau* (1872), *Eugène Manet et sa Fille au jardin* (une toile de 1883 qui rappelle le tableau présenté ici).

- **Claude Monet :** *Camille Monet et un Enfant au jardin* (1875), *Un coin d'appartement* (1875).

- **Auguste Renoir :** *L'Enfant et les Jouets* (1895-1896), *Claude Renoir jouant* (v. 1905).

• **Pour mieux connaître Molière et son époque :**

– *Louison et Monsieur Molière*, Marie-Christine Helgerson, Flammarion, 2001. Faisant allusion à la scène 8 de l'acte II du *Malade imaginaire*, l'auteur imagine qu'une enfant nommée Louison obtient un rôle dans la troupe de Molière.

– *La Jeunesse de Molière*, Pierre Lepère, Gallimard Jeunesse, 2003.

– *À la poursuite d'Olympe*, Annie Jay, Le Livre de Poche Jeunesse, 2008. Vous comprendrez mieux Angélique du *Malade imaginaire* en mesurant combien il est difficile, pour une jeune fille du XVIIe siècle, de choisir la liberté.

– *Les Médecins ridicules*, Laure Bazire, Nathan, 2014. Ce roman vous permet d'appréhender l'œuvre de Molière et de mieux comprendre pourquoi il en veut aux médecins.

• **Un court récit amusant sur un hypocondriaque qui rappelle Argan :**
Un voyage de santé, Maupassant (à lire facilement sur Internet).

• **Pour réfléchir aux relations au sein des familles :**

– *Vipère au poing* d'Hervé Bazin décrit une mère cruelle.

– *La Gloire de mon père* de Marcel Pagnol et *Treize à la douzaine* de Franck et Ernestine Gilbreth présentent deux pères extraordinaires.

– *La Promesse de l'aube* de Romain Gary met en scène une mère aimante mais possessive.

– *Les Enfants de Timpelbach* d'Henri Winterfield imagine la vie sans les parents. Ce roman est moins sombre que *Sa Majesté des mouches* de William Golding.

– *Céleste, ma planète* de Timothée de Fombelle évoque, à la différence des deux volumes de *Tobie Lolness*, des parents absents.

Crédits photographiques
Couverture : Daniel Leduc (Argan) dans *Le Malade imaginaire* mis en scène par Jean-Philippe Daguerre. Compagnie Le Grenier de Babouchka © Photographie de Grégoire Matzneff, 2018.
Cette mise en scène a été nominée aux Molières 2018, dans la catégorie « Meilleur spectacle jeune public ».
Rabats et plats II et III de couverture :
Document 1 : © Photo Sita Production / D.R. **Documents 2, 4 et 5 :** Photos © ArtComPress/Pascal Victor. **Document 3 :** Musée Marmottan Monet, Paris © Bridgeman images.
pp. 4, 11, 21, 23, 30, 44, 48, 52, 56, 69, 70, 74, 88, 91, 98, 105, 136, 144, 150, 174, 181 : © Photothèque Hachette Livre. **p. 9 :** Auteur inconnu [Domaine Public], via Wikimedia Commons. **pp. 65, 123 :** Archives Charmet/Bridgeman images. **pp.100, 112 :** © B.N.F., Paris. **p. 171 :** Bassin d'Appollon et perspective sur le château de Versailles ©, Photothèque Hachette Livre. **p. 166 :** Gustave Toudouze, Maurice Leloir [Domaine Public], via Wikimedia Commons.

La bande dessinée sur la vie de Molière, pages 5 à 8, a été réalisée par Sylvain Frecon, d'après un scénario d'Isabelle de Lisle.

Maquette de couverture : Stéphanie Benoit
Maquette intérieure : GRAPH'in-folio
Composition et mise en pages : APS

Achevé d'imprimer en Espagne par Black Print
Dépôt légal : février 2019 – Édition : 04
75/1529/6

Dans la même collection

ANONYMES
Ali Baba et les quarante voleurs (37)
Fabliaux du Moyen Âge (20)
Gilgamesh (83)
La Bible (15)
La Farce de Maître Pathelin (17)
Le Roman de Renart (10)
Les Mille et Une Nuits (93)
Tristan et Iseult (11)

ANTHOLOGIES
L'Autobiographie (38)
Dire l'amour, de l'Antiquité
à nos jours (91)
L'Héritage romain (42)
Poèmes 6e-5e (40)
Poèmes 4e-3e (46)
Textes de l'Antiquité (63)
Textes du Moyen Âge
et de la Renaissance (67)
Théâtre pour rire 6e-5e (52)

ALAIN-FOURNIER
Le Grand Meaulnes (77)

ANDERSEN
La Petite Sirène et autres
contes (27)

BALZAC
Le Colonel Chabert (43)
Eugénie Grandet (82)

BAUDELAIRE
Le Spleen de Paris (29)

CARROLL
Alice au pays des merveilles (74)

CHÂTEAUREYNAUD
Le Verger et autres nouvelles (58)

CHRÉTIEN DE TROYES
Lancelot ou le Chevalier
de la charrette (62)
Perceval ou le Conte du Graal (70)
Yvain ou le Chevalier au lion (41)

CHRISTIE
La mort n'est pas une fin (3)
Nouvelles policières (21)

CORNEILLE
Le Cid (2)

COURTELINE
Comédies (69)

DAUDET
Lettres de mon moulin (28)

DES MAZERY
La Vie tranchée (75)

DOYLE
Scandale en Bohême et autres
nouvelles (30)
Le Chien des Baskerville (49)

FLAUBERT
Un cœur simple (31)

GAUTIER
La Cafetière et autres contes
fantastiques (19)
Le Capitaine Fracasse (56)

GREENE
Le Troisième Homme (79)

GRIMM
Contes (44)

HOMÈRE
Odyssée (8)

HUGO
Claude Gueux (65)
Les Misérables (35)

JARRY
Ubu Roi (55)

LABICHE
Le Voyage de Monsieur Perrichon (50)

LA FONTAINE
Fables (9)

LEPRINCE DE BEAUMONT
La Belle et la Bête et autres contes (68)

LÉRY
Voyage en terre de Brésil (26)

Dans la même collection (suite et fin)

LONDON
L'Appel de la forêt (84)

MARIVAUX
L'Île des esclaves (94)

MAUPASSANT
Boule de Suif (60)
Le Horla et six contes fantastiques (22)
Nouvelles réalistes (92)
Toine et autres contes (12)

MÉRIMÉE
La Vénus d'Ille (13)
Tamango (66)

MOLIÈRE
George Dandin (45)
L'Avare (16)
Le Bourgeois gentilhomme (33)
L'École des femmes (24)
Les Femmes savantes (18)
Les Fourberies de Scapin (1)
Les Précieuses ridicules (80)
Le Malade imaginaire (5)
Le Médecin malgré lui (7)
Le Médecin volant – L'Amour médecin (76)

MONTESQUIEU
Lettres persanes (47)

MUSSET
Les Caprices de Marianne (85)

NÉMIROVSKY
Le Bal (57)

OBALDIA
Innocentines (59)

OLMI
Numéro Six (90)

PERRAULT
Contes (6)

POE
Le Chat noir et autres contes (34)
Le Scarabée d'or (53)

POPPE
Là-bas (89)

RABELAIS
Gargantua – Pantagruel (25)

RACINE
Andromaque (23)
Iphigénie (86)

RENARD
Poil de carotte (32)

ROSTAND
Cyrano de Bergerac (95)

SAGAN
Bonjour tristesse (88)

SAND
La Mare au diable (4)

SHAKESPEARE
Roméo et Juliette (71)

STENDHAL
Vanina Vanini (61)

STEVENSON
L'Île au trésor (48)

STOKER
Dracula (81)

VALLÈS
L'Enfant (64)

VERNE
Le Tour du monde en quatre-vingts jours (73)
Un hivernage dans les glaces (51)

VILLIERS DE L'ISLE-ADAM
Contes cruels (54)

VOLTAIRE
Micromégas et autres contes (14)
Zadig ou la Destinée (72)

WILDE
Le Fantôme de Canterville (36)

ZOLA
Jacques Damour et autres nouvelles (39)
Au bonheur des dames (78)

ZWEIG
Le Joueur d'échecs (87)